Ⓢ新潮新書

高橋洋一　原 英史

TAKAHASHI Yoichi　HARA Eiji

国家の怠慢

872

新潮社

はじめに

なぜ公務員になったのかと、しばしば聞かれる。私は東大数学科卒で、財務省キャリアでは異色の経歴だ。私の財務省（大蔵省）同期は、東大法学部ばかりだ。東大法学部卒で、大蔵官僚となり、その後大蔵大臣になった宮澤喜一氏は、大蔵官僚に「君、何期？」と聞いたが、それは「東大法学部」は当然で、その中で「何年の卒業か」という意味だ。

そのような大蔵省になぜ入ったのかと、役人に関心がある人には興味深いのだろう。

私の答えは、「間違って入ってしまった」だ。

たまたま学生結婚していたので、働かなければならなかったという事情もある。内定していた文部省研究所で突然の内定取り消しになったという事情もあった。職業の選択を間違うことは誰にもあることだろう。

大蔵省に入省するとき、当時の採用担当者から、「君は、大蔵省の『変人枠』だよ」ともいわれた。

もともと、数学を大学で専攻することさえ、普通の人から見れば「変人」であるのは間違いない。私は小さいときから先生を先生とも思わず、授業もサボってばかりの「変人」だ。大学でも授業には出なかった。

そのおかげで、社会人になるまでほとんど字を書いたことがない。大蔵省に入って一番困ったのは、会議のメモを作れという上司からの指示だ。小学校から大学まで授業に出てノートをとったことがないので、メモが書けなかったのだ。

数学を大学で専攻する人は、人から話を聞いて覚えたりするのではなく、自分で理論立てたモノを持っているはずだ。私は大学まですべて独習でやってきて、先生を含め他の人の話を聞いたことがない。

そんな「変人」が役人をやれるはずがない。それでも、10年間くらいは猫を被れるものだ。

本書の中で、筆者が若き大蔵官僚の時代について書いているところがある。そのとき、本書の対談相手である原英史さんと接触していたらしい。「らしい」というのは、後で原さんから聞いて驚いたのだ。その当時は、はっきりいって官僚の仮面を被っていた時だ。

ただし、それから少し後には、もう仮面を被ることはできなくなっていた。

ひょっとしたら。当時の通産官僚の原さんが、私を覚醒させてくれたのかもしれない。もともと、東大数学科なので、同じ東大生でも見下していた。特に法学部をからかうのは面白かった。大蔵省に入省したての頃、自己紹介で「東大法学部卒」と聞くと、「あー、法学部」と返していた。「あー」と「法学部」を間違っても一言でいわずに、間にしっかりと一呼吸をいれて返答しなければいけない。

大蔵省のキャリア官僚は一般的基準から見れば「優秀」である。たしかに勉強はでき、テストもいい成績だったのだろう。あるとき、キャリア官僚の会合で、大学（といっても東大法学部）の成績自慢になった。①大学時代に取った「優」の数、②公務員試験順位、③司法試験合格が定番で、私はいつもうんざりだった。

あるとき、試験の解き方が話題になって、難しい問題を早く識別し、それを避けてやさしいものから解答し、後で時間が余れば難しい問題に取りかかると聞いた。

はっきりいって、私の流儀と真逆だった。数学は独習で中学時代に大学程度をマスターしていたので、解けない問題はなかった。あまりにやることがなく非行に走るのを心配した先生らが、当時は話題にもなっていなかった数学オリンピックの問題を私に与えてくれたので、それなりの学生生活が送れたものだ。

こうしたひねくれ者なので、難しい問題と聞くと、他のことをやらずに没頭するクセがある。なので、問題は一番難しいものから解くというのが、体に染みついている。

多くの大蔵官僚は要領がいいから、難しい問題を避け、簡単なものを処理し、それを難しい問題と言って評価を受けるという人が多かった。

それと比べて、私は真逆で、しかも難問を解くのが好きなので、誰に言われても二つ返事で請け負ってしまった。このため、大蔵省入省以来、思いつくままであるが、外為法改正、証券取引法・銀行法改正（銀証垣根問題）、独禁法改正、証券取引法改正（金融ビッグバン）、資金運用部資金法改正（財投改革）、郵便法等改正（郵政民営化）、日本開発銀行法等改正（政策金融改革）など、一般の財務省キャリアに比べると大きな法改正ばかりを扱った。その合間に、金融機関の不良債権処理方針作成、政府のバランスシート作成などの、法改正ではないが財務省の喫緊の課題にも取り組んだ。極めつきは、政府特別会計での「埋蔵金」で、5年間で40兆円ほど発掘し、国民に還元した。

そうした中で、役人生活で最後に取り組んだのが、公務員制度改革だった。これは、誰から問題を与えられたのではなく、自らの問題意識だった。

小泉政権の時には、官邸勤務であったが、郵政民営化などで忙しく、それどころではなかった。第1次安倍政権で、引き続き官邸勤務となり、その際やりたいこととして公務員制度改革と申し上げたところ、やってほしいとのことだった。幸いにも、担当大臣が渡辺喜美さんとなり、そこに原さんがスタッフとして入ってきた。

公務員制度改革では、安倍さんが退陣した際、筆者も公務員を辞めたので、渡辺大臣と原さんが本質的な制度改正をしたわけだ。

私は退官後好きに生活し公務はやっていないが、原さんは今にいたるまで政府の規制改革では司令塔である。

その原さんと、コロナ禍のさなかオンライン対談を行い、統治機構やマスコミ報道など、日本の問題点について議論した。

原さんは東大法学部卒であるが、「あー、法学部」ではないことはいうまでもない。そんな異色な二人（というと原さんに失礼かも）の対論をお楽しみください。

高橋洋一

国家の怠慢　目次

第7章　産業が丸ごとなくなる時代に　166

第1章　コロナで見えた統治システムの弱点

ＰＣＲ検査は全国民にしたほうがいいのか？

高橋　新型コロナウイルスに関して、たとえばテレビ朝日がよくやっているんですけど、ＰＣＲ検査をガンガンやるべしという論調があります。コロナ関連の政府の会議の一部委員の中にも、ＰＣＲ検査をどんどんやろうという意見があるようです。この種の話はいろいろと手を変え品を変え出てきます。たとえば、九州の理論物理学の先生が唱えたもので、ちゃんと数式があって全部公表しているというものなのですが、ＰＣＲ検査を今の4倍やるとコロナがあっという間に終息するという話なんです。ただ、それはＰＣＲ検査を今の4倍すぐにできるかという議論になるんですよ。その話はモデル上、すぐに4倍にしなければ無理なんです。でも、検査能力を4倍にするうちに感染者は広がってしまう（笑）。一気に隔離できて、検査能力が４倍になれば終息するという論理なんですけど、それができないからどうするかという話をしているのに何を言っているんだろう。そんなことができるわけがないことは、すぐにわかるはずなんですけどねえ。式をきちんと見ると、感染の初期段階との重大な前提があるにもかかわらず、それをマスコミでは報じていない。初期以外でも実務を考慮するとできないのですが。

さらにＰＣＲ検査を一気にやるという話もありますが、今は１日最大２万件くらいしかできません。たとえそれが10万件できたとしても、全国民にやるのに何日かかると思っているんでしょう。１０００日かかるんですよ。検査をするために移動したら、ウイルスのほうがはるかに早く広がりますよ。

原　全国民検査論は、未来の感染症対策の構想としては大いに検討すべきですが、今の検査の精度やキャパシティを前提に、現実の政策論としては暴論でしょう。

高橋　確かに検査が瞬時にできて、無制限にできるんだったら全国民がやったほうがいいですよ。でも、ＰＣＲ検査して隔離してもウイルスの伝播のほうが早いんですよ。ＰＣＲ検査をするのは、たとえばお医者さんのところに患者が来て、コロナに感染しているかどうか判断できなかったら困りますよね。そのレベルですよ。お医者さんに行く人はＰＣＲ検査をしたほうがいいでしょう。

フェイクニュースの温床

原　ＰＣＲ検査についてはいろいろなフェイクニュースが流れています。この話は検査拡大論と検査抑制論の２派に完全に分かれていて、分断や分極化という現象が起きている。それぞれ議論が極端になっていくわけです。極端な議論や、ウソ交じりのような情報が支持されていく。これはまさにフェイクニュースの温床で、今は情報が入り乱れていて、陰謀論とかデータの読み間違いとか、いろいろなものがあるわけです。

それで検査拡大論の側から言うと、最初に出てきたのは陰謀論ですよ。首相官邸が感染者数を少なく見せかけるために検査をしないでいるという説が、２月ごろからずっとありました。これはオリンピックを延期させないためだというものだったのですが、オリンピックの延期が決まってからも検査は増えていません。明らかにフェイクニュースだったわけです。

その後は、検査の国際比較に関するデマが広がっている。欧米の検査の数は、日本と比べると桁が違って多い、日本は異常に検査が少ないんだという説明なわけです。これはデータそのものは嘘じゃないんですが、感染の度合いをみると、人口当たりの感染者数が桁違いなのです。これを指摘すると、検査拡大派の人たちは、検査が少ないから感染者数が少ないというんですが、死亡者の数はごまかせませんので、それを見るとやはり日本は桁が一つか二つ少ない。そうすると、コロナで死んでいるのに別の死因で死んでいることにしているのではないかという話がすぐに出てくるんですが、一部の見落としはあるかもしれないけれども、死亡者数が２桁違うなんていうことはあり得ません。その後の抗体検査の結果をみても、やはり日本の感染者数が少なかったことは裏付けられています。

ということを考えると、感染の度合いが違うのだから、その感染者の数に応じて行う検査の数が違うのは当然のことです。だからさっきの高橋さんの話に戻ると、お医者さんを守るためなど、お医者さんが必要と思う範囲で検査をやらないといけませんというのが前提。それが残念ながら４月、５月の段階になってもできていなかったのは大問題でした。検査してもらえないうちに重症になってという不幸な事例もいくつか出てきました。なので、検査は拡大しないといけません。ただ、正しい拡大論と極論が混在し、果てには全国民検査などの暴論につながっているわけです。

根っこは政府の問題

原　一方、検査抑制派の方は、検査をたくさんやったらたちまち医療崩壊になってとんでもない事態になりますよと言っていたわけですね。でも、これも嘘です。例えば韓国やオーストラリアは、検査をたくさんやって感染を抑えこんでいました。成功例があったのです。もちろん、感染者が急拡大する局面で、重症者への対応より検査を優先していたら医療崩壊につながる。現実にイタリアなどではそうした問題が起きたとされます。しかし、軽症者の受け入れ体制、検査時の感染防止対策などを整えれば、検査拡大イコール医療崩壊なんて話ではありませんでした。

これはさっき言った分極化の問題です。お互いにフェイクニュース、極論に走りすぎて、双方の議論が全く通じない状態。その結果、何が起きているかというと、一部のマスメディアでは極論の検査拡大論が報じられ、それを聞いた人たちは、自分も検査を受けさせてくれと、保健所や医療機関に駆け込む。それによって、ただでさえ大変な現場に過剰な負担を生じさせる事象も起きた。一方で、極論の検査抑制論は、本来あるべき検査拡大にブレーキをかけてしまった。極論のぶつかりあいが、正しい政策対応を妨げていたと思います。

大混乱を招いた要因として政府の問題は大きかったと思います。政府が十分な検査を行う体制を整えられなかった。安倍晋三総理は2月末から必要な検査体制を整えると言っていたが、実際にできなかった。信頼が失われ、社会に不安が広がった局面では、フェイクニュースが飛び交いやすい。その典型例でした。

検査の拡大は必要です。今後、次の波や新たな感染症で、今回の欧米並みの事態が起きる可能性もあります。検査のキャパシティは急ぎ、桁違いに拡大しておくべきです。極論の拡大論や陰謀論は、その方向づけにつながった面はあったかもしれない。しかし、それで国民の不安を増幅した弊害は大きかったと思います。

政策決定と専門家の関係

――緊急事態宣言をはじめとするコロナ対応では、政府と専門家の関係も問題になりました。

高橋　2月中旬から専門家会議（新型コロナウイルス専門家会議。7月3日から新型コロナウイルス感染症対策分科会に移行）が立ち上がりました。緊急事態宣言下では、西村康稔（やすとし）大臣以下の行政組織と専門家会議で協議しながら、対策の決定や解除をやっていました。しかし、よくわからない人たちがたくさん集まってやっているから、官僚もよくわからないままでやっている感じがします。私の印象では、やっぱり日本の政府はこういうのが苦手なんですよ。感染症モデルというのは数理モデルでしょう。マスコミもわからないし、書けないですよ。

よそ様の国は、結構そういうスタッフがいるんですよ。官僚がやるというのではなくて、医学の話で機械的に結構数字で出しちゃうほうなんですよね。日本ではそういう議論は全くない。8割の接触減がああでもないこうでもないと議論をしているけど、笑っちゃいますよ。うまくいっているかどうかはやってみなきゃわかりませんけど、トランプさんですら感染症モデルに基づいた発言はしていますよ。それはメルケルさんも、世界の指導者はみんなしている。安倍さんはしていませんね。専門家会議の中で、これを担当している西浦さん（西浦博・北海道大学大学院教授）だけが浮いている感じがする。他の人も感染症モデルについては理解していないし、だから安倍さんの発言にもその感じが入ってこないんじゃないでしょうか。

　感染症対策はとても難しい問題なんですよ。私だって数理モデルで新規感染者の予測をほぼ毎日公表しているんですが、政府だって天気予報みたいにやればいいんですよ。外れるときもありますけど、その場合は理由を説明すればいい。予測を上回った時は理由を考えて善後策を練るだけでしょ。その時点で政府の判断が正しいかどうかはわからない。

　西村大臣も安倍さんも、閣僚レベルでわかりやすく説明できる人はまずいません。途中から、尾身先生（尾身茂・新型コロナウイルス感染症対策専門家会議副座長＝当時＝）が一緒に説明するようになったので、はじめに比べるとわかりやすくなりました。アメリカではペンス副大統領がタスクフォースのトップなんですが、会見の時に必ず専門家みたいな人が横にいますよ。そういう人が最初の段階で日本にはいませんでした。それは日本社会の反映みたいな話なんですよ。

私は役人になる前、文部省の研究所で感染症モデルの研究者だったんですけど、その時も専門家は日本に何人もいませんでした。それは今も変わっていなくて、医者の中ではごく少数。小難しい数理の世界なので、例えば、再生産数という数字がありますが、過去の感染症だったらいくらと言えるけど、今のコロナのように現在進行中のものをやると大胆な推計になって、確たることは言いにくい。でも、西浦さんが説明する場に安倍さんがいないというのは実はよくないんです。わからなくても本当は安倍さんも聞いていたほうがいい。わからないなりに説明の足しになります。トランプさんだって我慢して聞いていますよ。メルケルさんは理系なのである程度わかるかもしれませんが、若いころ理系をやっていても、今はなかなかわからないでしょうね。

原　統治機構の観点から考えると、日本の場合、専門家を要職で登用するということはまずありません。役所は役所で一生役所にいる人がいて、政治家はいっぺんなるとずっと政治家。学者の世界に入った人はずっと学者。固定的な終身雇用的社会の制約はあるかもしれないですね。アメリカだと学者が政府の中枢ポストに政治任用で入ってきて、またそのあと政府外に戻っていくようなことが普通にある。そういう経験を経ることで、政策決定と学問の世界にまたがった経験・知見を蓄積するサイクルがあります。

日本では、各種の有識者会議のメンバーはあくまで有識者。政策決定に関わる経験はない人が大半です。そうした人たちにいろんな意見を言ってもらいながら、コンセンサスを形成し、最終的に政府の方針にお墨付きを与えてもらうというプロセスは、平時なら機能しますが、緊急時にはそんなことをやっていられない。緊急時に専門知見をもって行政的対処のできる人材の層は厚くしておく必要があると思います。

なぜ緊急事態宣言は遅れたのか

――コロナ問題を振り返って、政府の初動をどう評価しますか。

高橋　新型インフルエンザ等対策特別措置法というのがあるじゃないですか。3月13日にすったもんだして、法改正して公布したんですが、施行は14日でした。もともと民主党政権のときに作った法律だから、新型コロナを付け加える必要がでて、法改正は結構簡単にできたんですが、ちょっとそれでびっくりしたのは、普通は公布した日には直ちに対策本部を作るのに、対策本部ができたのは26日でした。

あの手の法律がなぜ必要かというと、感染症のイロハですが、感染者が急増し、医療キャパシティに対してオーバーフローしちゃったら大変だから感染症対策をするわけです。急いで法改正したのであれば、それはすぐ緊急事態宣言でしょうと、まあ、思いますよね。ほかの国もみんな「非常事態宣言」をやっているのになぜ日本で「緊急事態宣言」をやらなかったのか、分かりません。

あの法律を改正するときに、実はヒゲの隊長という、自民党参議院議員の佐藤正久さんとあるインターネット番組で共演していたんですが、二人で緊急事態宣言をしないとおかしいと言っていたんです。総理が緊急事態宣言をしないと、東京の首都封鎖というのも法的にはできにくいんですよ。総理はただ掛け声を出すだけで、あとは都道府県知事がそれぞれいろんな措置を発動できるという仕組みなんですよね。でも緊急事態宣言を出さないなら、法律なんか改正しなくてよかったんじゃないのと。それが良くわからなくて。ただし、都道府県の措置といっても、強制力もないので、実は大した話ではないのに、マスコミは「私権制限」なんて、ほとんどあり得ない話をしていましたね。

原　結局、日本政府はこういう緊急対応が苦手ということに尽きます。高橋さんともう10年以上前の第１次安倍内閣の頃から、行政改革や公務員制度改革を一緒にやってきましたが、狙いはそこのところの話だったんです。

もうちょっと遡ると、橋本龍太郎内閣の頃から官邸主導・政治主導に組み替えていきましょうという話をずっとやってきました。政治主導だ何だという話って古い話だと思ってみんな忘れかけていますが、もともとの根っこの問題は官僚主導の問題だったわけです。

官僚主導の問題とは何かというと、平時の安定した環境で、ちょっとずつ改善していけばいいというようなときには官僚主導はうまく機能しますが、緊急事態が起きて前例なき決断や大転換をしないといけないときには対応ができないのです。今回のコロナみたいな極限の大緊急事態もそうなんですが、バブルが弾けたぐらいの頃から90年代以降は、ある意味ずっと緊急事態が続いてきたわけですね。高度成長期からバブル期には見事に機能していた官僚主導が機能しなくなった。

そこで、それを転換するために総理がリーダーシップをとって、官邸主導で物事を進められるようにしようと改革に取り組んできて、以前に比べるとちょっと進んだ。ちょっと進んだから、これまでの大危機のときよりは今回のコロナに関しては多少ちゃんと対応できていると思います。しかし、まだまだ十分ではないところがあった。それがいま高橋さんが言ったような、本来だったらもっと早く緊急対応に切り替えておけばよかった、政治の決断でやればよかったのにという状況につながっています。

官邸主導でできたこと、できなかったこと

原　ちゃんと対応できたところとしては、たとえば、若干遅れたとはいえ、かなり早期に中国湖北省からの入国制限をやった。しかし、指定感染症の指定をする際の施行のタイミングは、当初は、だいぶ時間をおくことになっていました。官僚主導で役所の論理でやっていると、緊急事態とはいえ、多くの人たちに影響を及ぼす話なので、相当の周知期間を置かないといけないことになる。最初の段階では実際そうなったわけですね。でも、さすがに批判が高まって、国際的にも状況が変わってきたので、多少前倒しをし

たことがあった。なので、完全にダメじゃない。多少はできるようになったんだけれども、まだまだできてないことが多いと思います。

今の安倍政権が一定程度官邸主導で物事を進められているのは、官邸主導のための改革を、この20年ぐらいずっと進めてきた成果なのです。一方、その官邸主導でやった結果として、安倍政権は何でも官邸主導でやるんで、役人はみんな官邸のことばかりを付度していてけしからん、という批判が生まれている。官邸主導はけしからんと逆行する流れも出てきたりしているのが現状です。そんな中で、今回の事態が起きているのです。

クルーズ船は入港拒否すべきだった

高橋　実は特別措置法の中で感染症というのはいろんな分類があって、危険度から推して1類、2類、3類とか、そういうふうに分かれているんですよね。それで、今回は2類というやつだったんです。

それって、原さんが言ったように、最初は確か周知期間が10日だった。政令を見たときにたまげましたよ。そんなに周知期間は必要ではありません。というか、役所内で事務作業しているときに、大臣がいつ頃公布すると言えば、周知期間はかなり短くできます。それで、加藤勝信厚労大臣は財務省で私の1期違いで知り合いですから、ちょっと遅いんじゃないのと言いました。まあ、政令が出た後だったから、もうどうしようもなかったですが。

実際にWHO（世界保健機関）が1月30日に緊急事態宣言をしたら、さすがに10日も置く周知期間は要らないだろうということで前倒しにはなったんですけどね。さらに、感染症の分類が2類というのも問題でした。確かに医学的な見地からいえば、致死率は最悪ではありませんが、2類では検疫がきちっとできない。だから、その間隙を縫って、クルーズ船が入って来ちゃいました。

クルーズ船の検疫の水際措置というのは、役所が縦割りであることが結構大きな問題になるわけです。海外から入ってくるときの水際措置というのは、QICという言い方をするんです。Qは検疫、Iは入国管理、Cは税関。それでQ（QUARANTINE）は、人は厚労省、動物は農水省と分かれている。次のI（IMIGRATION）は法務省、C（CUSTOM）は財務省なんです。

ＱＩＣは完全に縦割りに分かれているんですが、旅行者が日本に入るとき、Ｑ、Ｉ、Ｃの順番に通るけど、どこが仕切りかなんて、絶対分かりません。平常時ならそれぞれ３つの省庁（厚労省、法務省、財務省）は結構うまくやっているんですが、はっきり言って一番最初にＱ（検疫）を通過できたら、Ｉ（入国管理）ではほとんど止められないんです。そういうときに一番最初のＱ（検疫）のところで、２類感染症というちょっと緩い制限だったので、日本の水際作戦はうまくいきませんでした。

よく世間では、Ｉ（入国管理）を厳しくせよ、中国からの旅行者をもっとチェックせよといいますが、Ｑ（検疫）で２類感染症と緩ければ、Ｉ（入国管理）ではなにもできないんですよ。

残念ながらクルーズ船は横浜に入港してしまいました。本来は、クルーズ船の船籍はイギリスなので、国際法の常識では「旗国主義」といって、イギリスが責任を持つべきなんです。だから本来、日本として入港拒否すべきでした。拒否していたら、イギリスが、出発港の香港と交渉していたでしょう。その間に、日本政府はチャーター船を出して、日本人乗船客を救出に行けばよかったんです。

もっとも、横浜に入港後は結構うまい対応はしたと思いますけどね。自衛隊がうまくやってくれたんじゃないですか。自衛隊は感染症対策に慣れており、感染者を出さなかったのは立派でした。そこは訓練の賜（たまもの）でしょう。あと、対策本部に最初は自衛隊を管轄する防衛大臣が入ってなかったんですが、これは政府のミスです。その後すぐ入れたんですよね。これはたぶん以前だったら防衛大臣はずっと入らなかったと思いますが、クルーズ船が来て、自衛隊を入れなきゃいけないとなると、自衛隊は誰の指示を受けたらいいのかわからなくなるので、官邸が防衛省からの指摘を受けて指示したようです。

でも、官邸はそれなりにうまくやったんですが、途中からはもう、習近平が来るか来ないかとかいうことがありましたから、結構グダグダになっていましたね。早い段階で習近平訪日なんて無理に決まっているのに、1カ月前まで、ギリギリまで粘ったんですよね。これは完全に官僚的な対応でした。習近平は国賓で来るので、天皇との面会は必ずあり、1カ月前のギリギリのところでは宮内庁が天皇の予定を組まなきゃいけない。そのために宮内庁から1カ月前にどうなっているのかとの話が官邸にある。そこまで誰も何も言わないで、習近平の来日は予定どおりって言っちゃったわけです。あんなのは、もう来られないに決まっているんだから、政治主導で早く決めればよかったんですよ。

平時と緊急時の切り替え

――3月に始まった小中高校の休校という判断はよかったのでしょうか。

高橋　これはよく分からなかったんだけど、今井さん（今井尚哉首相補佐官）がやって、官邸の中では、菅さん（菅義偉官房長官）とか、みんな知らなかったという話ですよね。今井さんがやるというのは、官僚主導であって、本来の政治主導じゃないと思いますけどね。

休校は、どこの国でも大体やること。別に子どもを守るためじゃなくて、要するに、親を含めた社会の行動を止めるという意味なんじゃないですか。子どもを止めると親も止まるということですから。

原　私もやったことはよかったと思う。高橋さんも言ったように、子どもはかかってもそんなに深刻な問題にならない可能性があるけど、子どもがかかって、それが家族にうつっちゃうのを防ぐためにやったということなので。ただ、説明の仕方やその後の対応がチグハグでした。

説明するときに子どもを守るという言い方をしたのはおかしかった。だから、みんな混乱して、子どもを守るんだったら必要ないはずとの異論も出てきた。学校を止めることによって社会全体を守るんですという説明を最初からしたらよかった。政府のリスクコミュニケーションにはいろいろ問題がありましたが、その一例です。それから、その後の対応の不整合。社会全体を守るのが目的であれば、少なくとも東京、大阪、愛知などの都市部において4月はじめに再開という話が出てくるのはありえなかった。実際には、3月にいちど「4月再開」を表明し、学校現場にも無用の混乱をもたらすことになりました。

結局、さっきの政策決定の仕組みのところに戻ると、平時のモードにひきずられています。休校に関しては、学校の関係者や与党の政治家たちには、親が仕事に行けなくて困る、パートにも行けない、給食がなくなって大変だ、どうしてくれるんだといった声が行くわけです。そうすると、今の政策決定をやっている人たちは、そういう声に敏感にならざるを得ない。社会全体を守るためよりも、声の大きな人を守るために対応しがちです。与党で業界などから様々な声を聞いて集約して政策決定を行うのは、平時においては有効な仕組みですが、緊急時にそれをやっていたらその間に大問題が起きてしまいます。そこの切り替えがうまく行ってない。

Ｋ―１も止められた

――緊急事態宣言の休業要請では、補償をどうするのかも問題になりました。

高橋　最初にこれが問題になったのは、Ｋ―１のさいたまアリーナの問題でした。当時は緊急事態宣言をしていないから、いろいろと筋が通らなかったですね。緊急事態宣言をして、あとは地方分権で、各都道府県知事さんにお任せすればよかった。今の仕組みでも、いろいろな権限はみんな地方に送っているから、そこで判断すればいい。たとえば、Ｋ―１の問題では、緊急事態宣言を総理がしていたら、埼玉県知事はあそこの会場の使用許可を取り消せたんです。その代わり、止めたらＫ―１団体のほうから補償してくれと言われる。そうしたら、あとは埼玉県が政府のほうに掛け合って、何か政府のほうで補償して下さいという、国と地方政府の間の交渉になるはずで、それでよかったのです。

あれは観客は6000人くらいだったでしょう。やっぱり全部は来ないですよね。そうすると、満杯でたぶん1万いくらなんですけど、それの半額補償でやったら結構いい交渉になるような感じなんですよね。K—1だって無理してやるよりも、半額もらえばオーケーという感じになったんじゃないですか。だから、緊急事態宣言をして、一部を国が休業補償すると、いろいろなものがすっきりしたはずです。

さっきの休校の時に所得補償してくれという話だって、緊急事態宣言をして国が何らかのカネをだせば、すっきりできちゃう。所得の6割を面倒見ますとか言ってしまえば、結構簡単になったんじゃないかなと思いますけどね。いつも官僚の方、例えば財務省なんかがこういう話を絶対嫌がるから、結果として政府の緊急事態宣言がなかなかできなかったのでしょう。

平常時だったら分かるけど、戦争をしているときに金が出るからどうのこうのなんていう話をしてはいけないんです。非常事態というのが世界の常識だけど、日本ではあくまで「緊急事態宣言」といいます。たぶん、非常事態宣言を戦争と置き換えるのが一番簡単なんですが、日本でそういうのはいけないのかもしれない。戦争のときに予算がどうのこうのとか、言ってられないんだけど、言うのが財務省。私はいつも思うんですが、戦争のときは作戦会議に財務大臣を入れちゃダメなんですよ。

橋本行革では北朝鮮と台湾の有事を想定

原　高橋さんが言われたように、緊急事態宣言もさっさとやっておけば、いろいろとできることはあったというのは全くそのとおり。

ただ、もうちょっと根っこに遡ると、今の特別措置法では、まだまだできないことがたくさん残っているわけです。この根っこは、日本は戦時を想定した有事法制を整備してこなかったということ。戦争がない、緊急事態も来ないということを前提にしていた問題が根っこにあるのだと思います。

アメリカもヨーロッパもみんな早々にロックダウンしました。欧州みたいに、これまでは人の移動もいくらでも自由にすると言っていたところすら完全に町を封鎖してしまうとか、強い措置がなされました。なぜ彼らにそういう切り替えができるかというと、アメリカもヨーロッパも、戦時を想定して、戦時になったときはこういう体制を組むという仕組みが作られている。パンデミックについて、歴史的に危機感が強く残っている面もあったと思います。

日本の場合は、今の特別措置法についても基本は要請ベースなんです。こういうことはやめてくださいと要請し、対応してくれなかったら次は指示が出せますよという仕組みになっていて、もともと発想が違います。

これは、さっきのイベントの話でもそうですが、何のために要請しているかの整理ができていないのです。イベントに参加する人たちの生命や健康を守ることが目的ならば、「やめてもらえませんか」との要請や、「やめたほうがいいですよ」との勧告でいいでしょう。しかし、今回のケースはそうではなく、目的は緊急事態で社会を守ること。国防と同じです。国や社会を守るために必要ならば、要請や勧告ではなく、命令でやめさせないとおかしい。最初から法律の枠組みがおかしいんです。

誤解のないように言っておくと、日本も欧米並みのロックダウンをすべきだったと言っているわけではありません。そもそも日本で8割削減や休業要請が本当に必要だったのかは議論があります。これは事後的にしっかり検証すべきでしょう。しかし、緊急時において、社会を守るために必要と判断したとき、どういう制度を用意しておくかは、これとは別の問題。最初から命令し、その代わり補償する仕組みを用意しておくべきです。しかし、その話をすると、すぐに人権を制限するのはとんでもないという話になる。緊急事態を否定し続けてきた日本の抱える難題です。こうした問題は、次の波や新たな感染症に備えて、早く国会で、また社会全体でも議論しておくべきです。

先ほども少し言いましたが、緊急対応のできる仕組みへの転換は、従来からの懸案でした。

昨今の公務員制度改革や行政改革の出発点ともいえる橋本龍太郎内閣は、非常に大きなターニングポイントで、そこからいろいろな官邸主導への転換がなされてきた。橋本行革は、緊急時対応も強く意識していました。当時は日米安全保障ガイドラインを作って、私は内閣官房でその担当をしていました。想定していたのは北朝鮮とか台湾の有事だったんですけれども、問題が起きたときに現実にどう対応するのかという枠組み作りの発想が、そのときに入った。それと同時に、官邸主導の仕組みに変えていこうとしたわけです。内閣人事局というのは、もともと橋本行革のときに出てきたアイデアで、こういうのは全部つながっている話だったのです。

GMに人工呼吸器を作らせたアメリカ

高橋　今回、緊急G7をやったほうがいいと思ったので、安倍さんの方に言ったんです。言ったのは私だけじゃなかったと思うけど、これはすぐに実現しました。なぜこんなことを言ったのかというと、いろんな国でいろんなことをやるんだけど、日本は他国を真似てやるという手があるからなんです。良いことで、真似られることは真似ればいい。でも真似られないこともあって、結構歯がゆく思っていることも多いんです。

例えばトランプ大統領がGM（ゼネラル・モーターズ）に人工呼吸器を作れという命令を出したんですが、あれは実は朝鮮戦争のときの法律に基づいた話なんですよね。そんな法律を持ち出して、GMに人工呼吸器を要請しちゃうわけです。自動車メーカーなら結構共通部分が多くてできるらしい。それでGMのほうもあと1カ月で1万台ぐらい作りますなんて言うわけですよね。なかなかすごいなと思って。これを日本に当てはめると、安倍さんがトヨタに言うって話じゃないですか。日本では言う権限がないけれども、トヨタはひょっとしたら言われたらやるのかな、なんて思ってね。

　Ｇ７のテレビ会議でこういう話が出てくるというのはすごい。ＧＭが人工呼吸器を１万台作ると言っているときに、日本との差がすごく分かるじゃないですか。

　だからこういうのは重要なんです。各国比較っていつも意味があって、特にＧ７か何かだと、似たような国だと思っていたら案外違うじゃないのというのがよく分かる。戦時には作戦会議に財務大臣を入れないって言ったのは確かイギリスだったと思いますよ。入っていてもろくなこと言わないからって抜いちゃうんですって。でも、日本だとそんなこと絶対できないでしょう。予算がどうのこうのって、もううるさいっていう感じになっちゃいますし。今回は、私が思うに、官邸主導があまりうまく行ってない例だと思うんですよね。

　後で出てくるかもしれませんが、経済政策なんか見ていると、すごくそう思いますよ。だって、遅すぎてシャビー（みすぼらしい）で、もうどうしようもないですよね。だから、あんなのこそＧ７で議論したらいいと思って言ったんですよ。Ｇ７だったら、いろいろな話が出るじゃないですか。すごく上手なやり方もありますしね。

これに対して、日本のやり方は全部平常時の対応なんですよ。だから、コロナの話はすごく大変だと分かっていたのに、それでも、3月は予算を参議院で審議中だからといって何もしなかったじゃないですか。

衆議院の予算審議は2月に終わるでしょう。で、本当はそのあと参議院はやることないんですよ、はっきり言うと。だから、非常時なんだから、実はあの時点で予算修正をすればよかった。予算修正って政府が変えると言えばそれでできるんですから。こういう話も官邸にしましたけど、できなかった。

でも実際には、3月のときに来年度予算はそのままにして4月に補正でやりましょうということにすると、1カ月遅れるわけです。だって、修正かけないで4月まで来年度予算を審議して、4月以降に国会に補正予算をかけるんですよ。遅れるに決まっているじゃないですか。だから、前提が平常時なんです。もうあまりに遅れすぎてびっくりするというやつでね。

あと、こういう危機対応のときには、業界の事業費の積み上げなんてしていてもしょうがないから、業界じゃなくて、最終消費者に現ナマを撒くというのが基本なんですよ。業界に撒くといっても、どこに撒かなきゃいけないか調べるのがまず大変ですから、最終消費者に撒くのが一番良い。そうすると、給付金とか減税でやるパターンになる。一番簡単なのは消費税減税なんですけど、これは絶対に財務省がダメだって言い出すからやらない。そうすると、ものすごく総額がシャビーになっちゃうんですけどね。

なぜ消費税減税が特効薬なのか

高橋　ここで、今回のような危機対応時に、なぜ消費税減税が良いのかということを、もう少し説明しておきます。

経済対策を作るときには、一番満たすべき要素から考えていくんです。それで、一番満たすべき要素というのは、経済ショックがあってＧＤＰ（国内総生産）が急減するんですよ。ＧＤＰがすごく減るということは、その後にすぐわかるのは、それで雇用が失われるんです。だいたいＧＤＰが何％くらい失われると雇用が何％くらい失われるというのは結構関係があって、それが一番強烈なんです。だからどこの国でも、ＧＤＰの落ち込みを防ぐというのが原則になる。それは雇用を守るためなわけです。そうすると、そういう経済ショックがあって、ＧＤＰが何％落ちますという予測があれば、その分だけＧＤＰを何％押し上げなければならない、というのが経済的な解なわけです。

　だから今どのくらい落ち込みがあるかと予測するのは難しいんですけど、まあ大体ＧＤＰの５％以上というのは、ほぼ確実で、ＧＤＰの５％というミニマムラインがすぐ出てくるわけです。そうすると数字に直すと、いわゆる「真水」で大体25兆円くらい。それを放っておくと、後で雇用が猛烈に悪くなるということになる。社会不安になっちゃうわけですね。だからとりあえず、そこはまず押さえておかなきゃいけないんです。そうするとＧＤＰの５％の真水の予算をどう作るのかというふうに考えるだけなんです。

　それが経済学で言うところの有効需要という考え方なんですけれど、まあ需要を作るということですよ。需要というのは消費とか投資とか、あと外需ってあるんですけれど、こういう時はまず消費が落ちるから消費を喚起してやるというのが一番簡単なやり方になるんです。消費を喚起するのは簡単で、可処分所得を増やせばいい。可処分所得の増やし方として何種類かあるけれど、一番簡単なのが消費税減税、所得税減税。あと現金給付。この減税と給付金の2つが基本ですね。この政策のターゲットは最終消費者です。消費者じゃなくて、事業者をターゲットにすることもありますけど、事業者をターゲットにすると、有効需要の積み増しというのは結構難しい。

　こういう風に追っていくと、経済対策の解は減税とか現金給付になって、ただしそれだけではちょっと大変だからというので、たぶん、イベントとか旅行関連業者をターゲットにして組み合わせるという形になるんでしょう。これはもう手筋なので、出てくる答えは結構簡単なんですが、減税を抜かしてしまうと、必要な額の有効需要をたぶん作れないというレベルになるだけなんですよ。

とにかく消費税を下げたくない財務省

高橋　最終需要が作れれば何でもいいんです。今回のコロナショックのような話は、事業者を特定するとか被害者を特定するのは結構大変だから消費税のほうに行くべきなのです。どこか事業者が決まっていたらそこだけに補助金出したっていいわけですけど、ちょっと広範だし、おまけに消費税増税なんかして、消費は落ち込んでいるし。

だからそういうのを直すのは、消費税減税だと結構簡単にできるわけです。そのほかに、所得税減税でもいいんですよ。ただ所得税減税だと、フリーの人だったら確定申告まで実感がないし、サラリーマンだったら毎月の源泉徴収の時まで実感がないんだけど、消費税だったらみんなすぐ実感がありますから。そういうので、いろいろ組み合わせた結果、消費税のほうがいいという話です。そのほかに手を考えると、毎月天引きされている社会保険料を一定期間減免するというのもあります。これは所得税減税と類似とも言える。

それができない理由は、政治ですよ。要するにもう政界の雰囲気はポスト安倍になっていて、岸田さん（岸田文雄・自民党政調会長）が圧倒的に有利なんですよね。岸田さんは宏池会だし、もともと財務省の意向で動く人。裏に財務省がいるということです。

財務省が消費税を下げたくないのは、今まで、東日本大震災での復興増税をホップとして、その後、ステップ、ジャンプとして8％、10％へと消費税率を引き上げてきたからでしょ。今まで一応正しいと思ってやってきているんですからね。今やめたら、2014年4月と昨年10月に消費税を上げたのが失敗だったと言われるに決まっています。

長くそういう政策をしてきて、利権があるというのが裏側にある。税収を確保してそれを役人に配って、財務省は自分たちが優位に立ってきたという事実がありますからね。ただ単にメンツとかいう話とはちょっと違いますよね。自分たちの権限を確保してきたから、それに裏打ちされたものがあって、それを失いたくないということじゃないでしょうか。

結局、今回の特別定額給付金は一度は所得制限付きで一世帯30万円に決まりかけたあと、所得制限なしで一人10万円と決まりました。これは政府の定額給付金として麻生さん（麻生太郎・元首相）のときにやったやつと同じなんですけど、地方事務というやりかたで、まず地方自治体が国民に申請書を発送して、その申請書に本人確認の書類と銀行口座名を付けて、送り返すんですよね。送り返して、地方自治体が本人確認してというパターン。これでも、事前に所得制限しないだけましですが、すごく時間がかかるんですよ。

だから、こういう時に世界でやっているのは、政府小切手なんですよね。その人宛ての政府小切手が送られてきて、そこに本人がサインして銀行に持っていくとお金が下りる。本人確認は銀行がやるから、圧倒的に早くて、これだと2週間でできます。日本でやろうと思えば、送るのは結構簡単で、ねんきん定期便の住所に送ればいいだけなんです。でも財務省がいろんなことを言ってやらないいんですよ。G7の国々で、どうやって国民にお金を配るのって聞いたら、ほとんどみんな政府小切手か、今なら国民番号に銀行口座が連動しているのでそれを使うということになる。だから、政府小切手か国民番号を使えばいいんだけれど、日本では政府小切手はやらないし、国民番号はまだマイナンバーと銀行口座がリンクしていないのでできない。その結果、給付金は遅すぎで、うまくいっていないということだと思いますよ。

政治主導ではなく官邸主導で

——経済政策に関して、原さんはどういうご意見ですか。

原　高橋さんも言っているとおりで、こういう局面ではともかくスピーディーにお金を配るということを最優先すべきです。しかし、財務省がいろんな理屈を付けて配らなくなる。

ただこの問題は、政治主導にしたらうまく行くかというと、官邸主導か政治家主導かの問題になります。経済対策の議論でも、和牛券やお魚券といった議論が出てきて批判されました。これは、多くの与党議員たちは、自分を支持してくれる業界や団体の要望に応えて政策を打ち出す。そうすると、特定の業界団体などにお金が行く商品券などの議論になりやすく、一律に国民一人一人にお金を配るとか、減税とかにはなりづらい。政策決定の仕組みの弱さが、今回の経済対策のプロセスでも露呈したと思います。

緊急時対応であれば、それこそここは官邸主導で、ともかくスピード優先でお金を配るとの大方針をまず先に出したらよかった。それで具体的な設計は役所にやらせれば、余計な混乱、あちこちの業界にお金を配りましょうみたいなことにはならなかったと思います。

第2章　間に合っていたはずの規制改革

オンライン診療とオンライン教育

――今回のコロナ禍の中で、規制改革がうまく進んでいれば対処できた問題として、遠隔教育、遠隔医療があります。原さんのご意見をお伺いします。

原　オンライン教育、オンライン診療がうまくできていないことが、今回、大きな問題になりました。今の規制は基本的に対面でやらなければいけないことになっていて、遠隔はこれまで進んでこなかったのです。

医療であればお医者さんと患者さんとが直接向き合って対面診療じゃないといけない、オンラインは原則やってはいけないことになっています。お医者さんだけでなく、薬を売るときには薬局で薬剤師さんが対面で服薬指導をやらないといけない。だから、インターネットで薬を売るというのも原則できない。多少は緩和したんだけど、まだ今でもできないことがたくさん残っているのが現実です。

ところが、今回のような事態になると、皆さん、病院に行ったら、それでむしろ感染するリスクが高まるわけだから、特に高齢者の方々はできれば病院に行かないほうがいいわけですよね。また、診療にあたる医師や看護師さんたちにも感染リスクが生じます。だから、オンラインで診療して、薬をもらえるようにできれば好ましい。でもオンライン診療がまだまだ普及していないので、多少具合が悪くても、通院控えをしている大変危険な状態を生んでしまいました。

急にやろうとしてもできない

――これまでオンライン診療は制度的にできないわけではないけれども、いろいろと制約が多く、実施している医療機関は非常に少なかったようですね。

原　これまでオンライン診療をやっている医療機関はごく限られていました。こんな状況になって3月に、オンライン診療をやっている人たちがリストを作ったのですが、全国10万の病院・クリニックのうち1000程度しかありませんでした。いつも通っているかかりつけの病院に「オンライン診療できますか」と問い合わせても、対応してもらえる可能性はごく低かったわけです。

また、こういうのは、平時からやっておかないと無理です。ご高齢の方が今回はじめてタブレットを持ってオンライン受診といっても、慣れていないから難しいのです。こんなことになる前に、オンライン診療をもっと普及させておけば間に合ったのになということですね。

そもそも、オンライン診療とか遠隔診療という話は、規制改革の世界では、ここ20年ぐらい議論されてきました。最初は離島やへき地だけ例外的に認め、その後、何度か規制緩和と運用での揺り戻しを繰り返しながら、ちょっとずつ緩和されてきた。2018年には診療報酬体系でもオンライン診療が位置付けられました。しかし、大きな制約があって、初診はダメ。必ず対面でなければなりません。定期的に通院する慢性疾患で再診のオンラインは認められますが、これも、最初数カ月は同じお医者さんに対面で診てもらわないといけないなど、ややこしい要件があります。さらに、診療報酬上は、対面診療とオンライン診療では、対面診療のほうが点数が高い。これでは、医療機関からしたら、わざわざオンライン診療に乗り出そうと思わなかったわけです。なぜそんな規制にしていたかといえば、表向きは安全のためですが、現実には、オンライン診療導入がなかなかできない小規模な医療機関に厚労省が配慮した面もあったでしょう。結果として、オンライン診療は長年さんざん議論し、政府は何度となく「解禁した」とか「本格的に推進する」とか言っているのですが、現実には一向に普及しませんでした。

今回コロナウイルスに対応して、厚生労働省は2月の段階で特例を作りました。通常は診療計画に基づいて次回以降はオンラインにしますよと言って初めてオンライン診療ができるところを、特例で、もともとオンラインに切り替えていなかったものも、オンラインで診療して、処方箋出してもいいですよと認めたのです。ただ、これは、実は初めてやったわけじゃなくて、11年前の新型インフルエンザのときにも同じことをやっているんですよ。

だから、今回、厚生労働省が出した通知には、お医者さんから薬局にファクシミリなどで処方箋を送っていい、薬局から送れますよとか書いてあるんですよ。さすがに今はファクシミリなんて、若い子はもう見たこともない人も多いですからね。そのくらいのレベルのことしかやってなかった。

それではさすがにまずいだろうと問題になって、4月の緊急事態宣言の前にもう一回議論し、ようやく初診も特例で認めることになりました。ご高齢の方がちょっと調子悪くなっても、通院控えをしていたのでは健康上の問題が生じますから、これは良かった。ただ、政府の決定文書をよくみると、「オンライン診療・電話診療の拡充」と書いてあります。これは変な話です。これまで規制改革の議論で「オンライン診療をもっと認めるべき」との主張に対し、厚労省がずっと言っていたのは「やはり対面で、五感をフルに使って診察しないと、見落としのリスクが生じる。テレビ電話では不十分」ということでした。ところが、認めるとなると、なぜか音声だけの電話でもOK。見落としリスクの話はどうなったのか心配になるぐらいです。これも実際上、多くの医療機関でオンライン診療への対応が難しく、電話なら可能だからなのでしょう。もちろん、高齢者の方々にとっても、テレビ電話は難しい場合が多いと思います。しかし、こうしたときだからこそ、オンライン診療を拡充すべきで、そのために政策資源を投入すべきです。医療機関に対する助成・支援をもっと行い、高齢者の方々への周知なども行ったらいいのです。残念ながら、なかなか十分そうした方向には向かっていません。

高橋　原さんの話に出た通知って、実は2月25日に出た新型コロナウイルス感染症対策の基本方針でも触れてるんですよ。それをあるテレビでこれだけ今緩和してるんですすと言うので、私は思わず本番の中で笑ってしまいました（笑）。

電話でも診察は可能ですからということが、確かにそこに書いてある。そして、原さんも言っていましたが、実質上ほとんど意味がない話がコロナウイルスの対策基本方針として堂々と出ていたので、私は笑ってしまったわけです。ただしその後、4月にはオンラインでも初診ＯＫになったので、それなりにいい方向に進んでいます。やはり、必要は発明の母だ。切羽詰まれば、何でもできるのです。

これは学校も一緒です。学校の遠隔教育というのも、今回のような状況になると、小学校も中学校もみんな必要になってきます。実は大学は比較的自由なはずなんですけど、遠隔授業を今やれるかというと、できない人がかなりいます。大学でもそういう状態なので、これまで遠隔教育をやってこなかった小・中学校では、やろうとしてもほとんどの先生が対応できないでしょう。だから、遠隔教育がすごく盛んになって、今回、この機に回線がパンクするんじゃないかと心配している人がいるんですけど、私の予想は、いや、小学校の先生はできないから当分は大丈夫だというものです。ただし、ビジネスの世界では、社内会議はテレビ会議に移行しているので、そのために回線が最近混み出してきているようです。

遠隔会議をやるためのＺｏｏｍというアプリはうちの大学の教授会でも使っています。でもメールが来て、Ｚｏｏｍが使えない人は大学の何々会議室に来てくださいって書いてあったので笑ってしまいました。そうすると、使えない人は会議室に行くんですね（笑）。だから、この手の話ってね、今回、ちょっと規制を緩めても、実際には使えない学校が多いでしょうね。

原　中国は今回のコロナ対応で、まさにこれを機にというか、思い切ってオンライン授業への転換をやったわけですよね。大学もそうだけれども、小・中学校、高校に至るまで、オンラインで授業ができるような体制を作った。北京とか上海でも、子どもたちが自宅にいて授業を受けられるような仕組みに変えていった。

でも日本だと、まず、制度的な問題がありました。さっき高橋さんも言ったように、大学はあまり規制がなくて可能になっているのですが、高校だとちょっと規制が厳しくなって、通信制の高校だと多少緩くなる。沖縄のN高というドワンゴがやっている通信制の学校があって、そこなんかはいろんな教科を学ぶのは基本的に全部通信で、通学するのは、もっと集団でいろんな活動をやる時だけにしましょうというような転換をやっているんですけれども、そういうところは例外的です。

「対面が基本」という信念

原　もっと厳しいのが小・中学校で、診療は対面が基本というのと同じで、教育もすべて教室でやらないといけません。医療では見落としのリスクが理屈でしたが、教育に関しては、子どもたちと肌と肌を接して先生が生徒に教えてあげることが大事、特に学年の低い子どもたちほど大事なんですという信念があった。文部科学省さんと議論していると、机間指導という耳慣れない言葉がよく出てきます。机の間を回って指導することが大事なんだというわけです。だから、オンラインで画面上に先生が出てきて、画面を見て生徒が授業を聞いているだけではダメで、やっぱり机の間を回って、この子は分かってるぞ、分かってないぞとちゃんと先生が見て教えていく、これが教育の基本なんだというわけですよ。

こういう問題は本当はもう技術的には解決されていて、例えばアメリカのミネルヴァ大学という通信制の学校が有名なんですけれども、ここはすべての学生がパソコンで授業を受けるんですね。そのときに画面上で先生の側がこの学生は何回発言したとか、ちゃんと授業に参加しているとかっていうのが分かるようになっている。机の間を先生が回っていても、先生が後ろを向いたら子どもたちはその間に消しゴム投げているかもしれない。そんなのよりもよっぽどちゃんと、学生がちゃんとついていけているか把握できている。でも日本では、昔ながらの理屈で、オンラインは認めませんとなってきたわけです。

これも、4月の緊急事態宣言前にさすがに議論せざるを得なくなり、小中高校でもオンライン授業を特例的に認めることになりました。しかし、オンライン授業を実際にやっているのはわずか5％。中には熊本市のように、特例の通知が出て数日のうちに、全校でオンライン授業をスタートし、ＮＨＫ・民放各局と組んでテレビのサブチャンネルで授業動画を流すなど、すごい勢いで対応した例もあるのですが、ごくわずかです。これも医療と同様で、ふだんからやっていないので、急に求められてもなかなか対応できないのです。

本来だったら、今回のコロナ禍で、休校なんてやらなくてよかった。休校ではなく、学校に来ないで自宅で授業を受けましょうというだけでよかったのです。これも、規制改革の世界で遠隔教育の議論を長年やっていたのだから、もうちょっと早く普及できていれば間に合ったのになあ、という話でした。

オンライン教育で広がる可能性

――前著の『岩盤規制』の中では、そういう遠隔教育推進の動きに文科省が反対するのは、遠隔教育を導入すると、きっと教員の人員削減につながるという危惧を持っているためというふうにお書きになっていますけれども、いかがでしょう。

原　学校の先生からすると嫌ですよね。嫌がる理由はいくつかあって、現場の人たちからすると、まず大変だからですよ。学校の先生はただでさえ校務や部活やいろいろあって忙しいのに、オンラインで新しいことやれとか言われてもたまらない、昔からのやり方でやらせてくださいというのは、それはよく分かる話ですよね。だからこそ余計な手間は省くような新しい技術の導入も合わせてやってあげたらいいんですけれども、文科省はそんなことは考えていなくて、そこから逃げてきたのが現状。

　文科省の人たちからすると、遠隔教育は教員の人員削減につながるのではないかとの疑念も持ち続けていた。これは予算規模が縮小し、彼らの力の源泉の縮小につながりますから、そこも大問題でしょう。

　それから、医療とかでも同じように言われることなんですけれども、オンラインにするといい先生と悪い先生ってはっきりしちゃう可能性が出てきます。もちろん授業動画を一般公開したりするわけではありませんが、録画とって比較したら一目瞭然でしょう。そこを連想すると、いや、それはたまらないなと。さっきの人員の削減に近いような話ですけどね。そういうようなことがあって、なかなか進まなかったわけです。

　あと、特例通知後もなかなかできていない要因として、端末が足りなかったこともあります。端末一人１台を前倒し実現と言っていますけど、現状では一人１台になっていません。規制改革の会議で議論したときに、学校ってまだ令和どころじゃなくて昭和じゃないか、という話を僕はしたことがあります。

昭和の終わりから平成の初めぐらいって、役所に行くと一人１台パソコンがなくて、課に１台コンピュータだったんですよ。課の職員みんなで共有して使っていました。そんな時代はとっくの昔に過ぎて忘れてしまっていますが、けれども、学校はまだそれに近い状態なのです。地域によりますが、全国平均で５人に１台。もっと少ないところもあるんですよね。本当は一人１台端末が実現していれば、自宅に持ち帰ってもらって、家庭の通信環境さえ整えば、あとは自宅で授業を受けましょうとできたんですけれども、それができなかった。

それから、この話は本当は、単に休校対応で授業をやめずに自宅で授業を受けられるようにできたじゃないか、という話にとどまらないんですね。こういう遠隔教育とかITを使った教育は、教育をもっと良い、質の高いものに進化させていく可能性をもっている。今までの授業は、教室に先生が一人いて、できる子にもできない子にも同じ授業を一斉にやっていた。だから、落ちこぼれと吹きこぼれの問題が出てきて、そんなこと10秒で分かったよという子どもにも同じ話を延々とし、全然分かってない子はそのまま置き去りにされちゃうという状態が起きていたわけです。

でも、オンライン授業とかＡＩを使ってＡＩドリルをやらせるといったことを活用すれば、そこの問題を解消できる。分からない子には、同じことを分かるまでドリルで何回も繰り返してやらせてあげるとか、子どもたち一人一人に応じた対応ができるようになる。今回の休校対応が、そうした前向きな転換のきっかけになるとよかった。残念ながら、こちらもまだまだですね。

公教育と私教育の格差

高橋　私は一応大学の教師なんですけど、確かに教師の中でもオンラインができる人とできない人がいるんですよ。私自身は、オンラインを前提に教材を作ってきたからもういつでも可能なんですけれど、そういうのってやっぱり多くの人は嫌がるんですよね。

でも、こういうふうにやっていると、公の教育（公教育）と私の教育（私教育）に差ができつつあって、塾をやっている私の知り合いによれば、私教育の塾ではオンラインなんて当たり前みたいなんですよね。だから、こういう状況になっても、オンラインに投資していますから、別に塾に来なくても授業は受けられますということになっているらしいんですよ。

そうすると、公教育と私教育の格差がどんどん開いてしまう。あと、例えば予備校だって、昔、対面が重要だと言って、代々木ゼミナールとか駿台みたいに大教室にドバーッと集めているのがあったけど、あれももうダメなんです。林修さんの東進ハイスクールみたいなのは、衛星放送を使っているとか、比較的オンラインに近いし、そっちのほうがどんどんきめ細かくできたりしますからね。一人ですごく人を集められる人もいるから、結構効率的にできちゃうんですよ。だから、公教育がいくら頑張っても、私教育のほうとか塾のほうははるかに進んでいるから、今のコロナ騒ぎでもっと格差が出ちゃうんじゃないですか。こんなことで公教育の人は大丈夫ですかって、私なんかは思いますけどね。

――原さんの話に出た、パソコン一人１台というのは予算的にはどうなのでしょうか。

高橋　パソコンなんて、大したことないでしょう。小中学生の生徒数は小学生637万人、中学生322万人で計959万人。今は5万円も出せば立派なノートパソコンが入手できるので、一度に予算化してもせいぜい5000億円。教育というのは投資に一番向いている案件なんですから、将来投資として国債を出してやっちゃえばいい。そういうことを柔軟に考える人がいないというだけのことです。この「教育国債」という発想は、もともと財務省にあって、財務省も否定しにくいもので、財務省出身の玉木雄一郎国民民主党代表も「こども国債」と言い出しました。

教育というのは非常に予算が低いんですけど、それは国債でやらないからなんですよ。要するに、人への投資、知識への投資だと考えれば、普通の経常経費じゃないんだから、国債でやればいいんです。コストパフォーマンスを量ると、普通の公共事業より結構いいんですよ。そういうふうに知恵を使えばいいんじゃないのと私は思っているんですけど、公教育の人って頭コチコチなんですよね。文科省の人にも教えてあげたけど、途中でヘタっちゃいましたね。民間予備校とか塾とか、そういうのがあって、公教育の脅威になっているというのをもうちょっと認識したほうがいいと思いますけどね。

統制経済か自由経済か

――今回の状況に鑑みて、もうちょっと改革をちゃんと進めておけばよかったなと思う、ほかの事例というのは何かありますか。

原　デジタルへの転換の話は大きい。医療や教育が規制によって阻まれている典型例でしたけれども、行政手続きについても、いちいち窓口に行かずにオンラインでやれるようにしたほうが良いですね。これは必ずしも制度的な制約があるわけではなくて、やってこなかったからという面も大きい。

それから、その延長で言うと、コロナ以前に政策論の世界でずっと私たちが議論していたのは、第４次産業革命対応だったわけです。ＡＩ、ビッグデータ、ＩｏＴ、ロボットなどで、全く新しい社会への転換が生じつつある。そこにどう対応していったらいいのかという議論をやっていた。前著の『岩盤規制』で触れたスーパーシティ構想もその観点でやっていたわけですね。

そのときの問題意識は、今、中国を中心とした非民主主義経済圏と、民主主義、自由経済を前提にした経済圏とのせめぎ合いが起きていることです。第4次産業革命では、いろいろなデータを社会全体から集めてそれをＡＩで解析させて最適な対応をやっていくことになる。また、新たな技術革新と社会の変革が急速に起きていく。こうした事態への対応は、実は中国みたいな体制のほうがなじみやすいんじゃないかとの危機感がずっとありました。

実際、新しい未来仕様の都市を作る取り組みも、中国、ドバイ、シンガポールなどでどんどん進んでいるんですけれども、先進国ではトロントでＧｏｏｇｌｅがそれをやろうとしたら住民が反対してなかなか進まなかった。5月にはとうとう撤退したと報じられています。日本政府ではそれを解決するためのスーパーシティ構想を作って、民主主義、自由経済を前提に、第4次産業革命の急速な変革に対応できる枠組みを作ろうという議論をやっていたわけですけれども。これも、もうちょっと早くやっておけばよかったなということの一つですね。

なぜかというと、今回のコロナの対応で、中国はまさにそこに成功しています。感染症対策のために、人の動きを全部データで押さえてデジタルに把握し、この人が電車に乗ったときに一緒に乗っていたのは誰だというのが全部追跡できる。外出してはいけないときに、外出しちゃったらすぐに分かるとか、そういう仕組みをこれを機に完成させたわけです。こういった緊急事態を考えても、統制型社会の仕組みのほうが、様々な問題に実はうまく機能するということになりかねません。

この問題に関して、人権、自由、民主主義を前提にした上で、こう対応していけるんだという枠組みを、日本や欧米が提示できていない。むしろ、欧米は明らかに中国より失敗した事例になっています。コロナが起きる前から、２つの経済圏の対立の問題があったのですが、それが今回の事態でより深刻になりつつある。

マイナンバーが機能していれば簡単だった

――高橋さんはどうですか。

高橋　もう少しやっておけばよかったということの具体例は、マイナンバーですね。すでにマイナンバーは国民全員に配布されみんな持っているんですけど、番号として認識している人ってすごく少ない。今回、台湾がマスクとかを政府が買ってうまく撒けたというのは、マイナンバーを結構きちんと行政の中でやっているからなんですよね。日本では全然低調なんですけど、これがあるといろいろと危機時の対応が結構簡単なんですよ。

これが機能していないから、国民への支援策をどうしようというときに、商品券なんていう話が出てきちゃうわけです。マイナンバーを持っていてそれが銀行口座にリンクしていたら、そこに振り込めば給付金はすぐに実施できちゃうんですよ。だから、マイナンバーの行政での利用があんまり遅れていて、社会インフラとして機能してなかったので、今回のようなコロナ危機でものすごく大変なことになっちゃったという感じがするんですよね。いろいろな手続きの申請なんかもそうですけど、マイナンバーがあったら結構簡単にオンラインで何でもできるんですけどね。

それで、今回の10万円定額給付金について、原則は先に述べたように地方自治体から郵送で申請書が送られてくるのですが、マイナンバーカード（マイナンバーの確認と本人確認が同時にできるＩＣチップが埋め込まれたカード）があればオンライン申請も可能になりました。もっとも、マイナンバーはすべての人が持っているけど、マイナンバーカードは国民の15％くらいしか持っていないので、すべての人が申請できるわけではありません。私は、税務申告を毎年ｅ－Ｔａｘというオンラインサービスでやっていてマイナンバーカードは持っているので、10万円定額給付金をオンライン申請しました。10分で簡単に申請できて、２週間後には銀行口座に10万円が振り込まれていました。このオンライン申請で混乱しているという報道もありますけどね。

マイナンバーは、お金をかけてやっている割には使い勝手が悪い。この際、もうちょっと使えるようにしたほうがいいと思います。プライバシーの問題があるからほかの目的では使っちゃいけないとか、訳わからないことを言っちゃう人もいるんですけどね。これは主に左派の国民総背番号制反対というのがあってこうなっちゃったんですけど、つまらない話なんですよ。そのくせ左派が信仰している中国は強烈な番号制度ですからね。

欧米は、社会保障番号で国民のデジタル管理をやっていて、非常に進んでいます。私はアメリカでの生活経験がありますけど、社会保障番号がないと、運転免許も銀行口座も開けないのでそもそも生活ができません。日本では、マイナンバーと社会保障番号とどっちでもいいんですけど、社会保障番号に相当する基礎年金番号は重複が多くてあまり使えません。そうすると、マイナンバーのほうが、重複がないので使いやすいんです。過去にも1999年に多額の予算で住基ネットという住民基本番号制度を総務省で作ったんですけど、個人を番号管理するので危ないという左派系の強い反対があって、結局使いものにならず、紆余曲折を経てやっと2015年からマイナンバーになったのです。

今回でも、マイナンバーを作ったら銀行口座にお金を振り込んであげると言ったら、みんな作るんじゃないですかね。2回目以降振り込むことがあれば、申請書がなくても銀行に振り込みますと、ちょっと書いておけばいいんですよ。マイナンバーカードを持っていればオンラインの申請もできる。オンラインの申請をマイナンバーカードでやっているんだから、実は振込先金融機関の口座とマイナンバーカードは、リンクできる。リンクしたら、もし2回目の10万円があるときには、申請書のやり取りなんか必要なくて、ただちに銀行口座に入金しましたでおしまいですよ。

ただし、これまでそうした政策をやってこなかったツケで、それはそれで大混乱するのでできないでしょう。だって、今でも緊急融資を受けるとなると、政府系金融機関に行って、すごい手続きで長蛇の列でしょ。ＩＤだけきちんと管理できれば、行政事務は結構簡単にできるんですけど、それが、紙文化みたいなことで、従来のような申請及び審査っていくわけでしょう。オンラインで行政手続きできたら、国民も行政も楽なんじゃないかと思いますけど。

原　今、マイナンバーの活用は本当に重要です。10万円の給付金支給でも、マイナンバーカードを使った申請をできるようにしたものの、全国で大混乱が起きました。これは、根っこの問題は、マイナンバーの活用が法律上限定されていることです。税、社会保障など、法律で列挙された目的にしか利用できず、支給業務には使えないのです。だから、オンラインで申請がなされても、自治体の職員はマイナンバーで自動的に処理することが許されず、住民台帳といちいち照合して確認しないといけない。とんでもない量の事務作業になってしまっています。それ以外にも、パスワードを変えるには役所に行かないといけないといった問題もあって、役所で大変な行列ができる事態まで生じました。

ここでも、最初の緊急事態の話と一緒で、マイナンバーをもっと広く活用できるようにしようとすると、すぐ人権侵害につながるとかいった話が出てきて止められていたわけです。実際のところは、資産を持っている人たちが把握されるのに使われちゃうと困るといったことにも配慮してやってこなかった。日本以外の国では大体できていることがなされていない。多くの面でかなり特殊な状態だったことが、今回のコロナで一気に露呈しました。この際、変えていかなければいけませんね。

第3章　なぜ役人は行革を嫌がるのか

出向と天下りで作る人間関係

――高橋さんと原さんは公務員制度改革をはじめ、多くの行政改革、規制改革に深く関わってきました。なぜそれらの改革と関わることになったのかについて教えてください。

高橋　そういう話をすると何か自分のヒストリーみたいな話になっちゃうんですけど、それでよろしいでしょうか。

私は大学が理系だったから、役所のことをよくわからないで大蔵省（現財務省）に入ったんですよね。それで、いろんな仕組みが新鮮というか、もう驚くことばっかりでした。

最初1980年に入省したとき、天下りとかそういうの全く知らなかったんですよ。

原さんとかほかの人だってみんなそういうのを知っていて役所に入っていると思うんですけど、私は全く知らなかった。それですごく驚いた。

あと、出向といって、ほかのところから人が来て普通に2年間くらい働くんですけど、そういうのでいろいろと人間関係を作っていくというのも全く知らなかった。入ったらそういう人が、出向とか天下りの人がたくさんいるので、ものすごくびっくりしたっていうのが最初の役人経験でしたね。

でも、まあそういうものかなと思っていて気にならなかったんですけど、入ってすぐわかったのは、既に退官した先輩が役所にちょくちょく来るんですよね。それで何か、今度入った何々の高橋君ですかとか言って来るわけです。私の父親ぐらいの年なんですよ。要するにもうリタイアした人だから、年はたぶん、四十歳ぐらい離れている。だから何かおじいちゃんって感じなんですけど、そういう人が年中来てね。

最初、先輩だと思うからまあ普通に対応するじゃないですか。何の話をするわけじゃなくて、どうってことないこと、役所の中どうって聞かれるだけなんですけどね。

そのうちに、メシでも食おうって言われるわけです。先輩からそう言われたら、まあついていくじゃないですか。食事とか、結構お酒なんかごちそうになるわけですよ。それで、先輩だからお言葉に甘えてっていう感じでついていくと、だんだんわかってくるんですけど、やっぱり欲しいのは役所の情報なんですよ。それで、私なんか大蔵省の中でも許認可がすごく多い金融部局に最初いましたから、何かつまんない情報でも、向こうにとってはものすごく価値があったみたいなんですよね。

最初、入ったときは役所の人事や天下りの仕組みも知らないし、大したことは言ってなかったと思うんですけど、でもそういうのでずいぶんおごってくれるし、盆暮れでは、いろんなものが贈ってこられるんで驚きました。

で、先輩にそんなことしてもらっていいのかなと思って周りにちょっと聞いたら、いや、みんなそうだよっていうことでしたね。

霞が関ビルまで続くタクシーの列

高橋　最初はそういう個人的な先輩と後輩の関係なんですけど、だんだん話が進んでいくと第三者が来るんです。それは業者の人なんですよ。夕方6時に来るんですよ、業者の人が。

そのあとはどんどん親しくなって接待漬けですよ。大蔵省スキャンダルの前でしたし、もうすごい接待です。人事異動で部署が変わると全くなくなるんですけど。だから、接待は1年か2年ぐらいしか続かないんです。

でも、それで何年かして、また課長補佐のポストで金融部局に人事異動してみると、そのときからまた、その前に知り合った人たちがワッと来るんですよ。今度は何かもう、ずっと付き合っていたかのように来る。向こうとしては、前の投資が生きたっていう感じだと思うんですよね。

そうすると、またすぐに接待攻勢。私は、正直言ってあまりそういうのが好きじゃないし、行くのがもう面倒くさかったんですけど、でも仕事だと思って上司と一緒に行っていました。

接待はすごくて、文部省と大蔵省の間に坂があるんですけど、その坂に、霞が関ビルのほうまでずーっとタクシーが並ぶんですよ。それで夜、そこのタクシーを使って宴会に来てくださいって、そういうやつなんです。

そのタクシーを探すのが大変でした。今みたいに位置情報サービスもないじゃないですか。だからタクシーの番号だけを聞いて、それで来てくださいって言うんですけど、霞が関ビルのほうまで１台１台確認していくのは大変でした（笑）。

でも６時過ぎると、そのタクシーに乗って、一人で乗るときとかそのときの上司と一緒に乗るときとかあるんですけど、みんな乗っていくんです。

行くところは向島の料亭とかいろいろ。そこで11時ごろまでやって、そのあと、お土産付きで家に帰るって、そういうパターンですよ。課長補佐になってからもう毎日それですよね。

中にはそういうのが大好きな人もいて、上司なんかでも時間が来るとそわそわし出して、早く行きたいってそんな感じなんですけどね。私はあまり行きたくないからどうでもいいやって思っていたんですけど、それは多少、役所的な常識からずれていました。

ゴルフするといえば、土・日は全部ゴルフになりますよね。そんなことしていたら、仕事というよりもそっちにすごく時間が取られて、あれっ、これでいいのかなって、正直言うとそのときに疑問符というのはかなりありましたよ。

そんなことがなぜ起こるかっていうと、役所が権限を持っているのと、天下りの人がいるから。だって最初に天下りの人が来ていろいろなセッティングをして、役所と業界の接着剤になっていてずーっといるんですよ。天下りの人がいなければたぶん、役所との接触もあまりありません。役人も1年か2年で交代しますから、すぐ親密にはなれないで終わっちゃうと思いますよ。

だからこれは天下りっていうのがすごいなと。これが役所に入って感じた第一点です。それが課長補佐の、そうですね、30歳すぎの頃ですから、今から35年ぐらい前の話ですね。

バランスシートでわかった天下りの構図

高橋　そのあと財政部局に行きました。そのときに実は財政投融資の改革というのをやらなきゃいけなくなったんです。それは財務省の中では誰もできないからお前がやれって言われたんですけど、そのときに私の条件が一つあって、それは政府のバランスシートを作らないとできないということだったんです。

それで、すぐ作りました。作って資産を見たら、貸付金と出資金が山ほどありました。どういう先かというふうに見たら、もうみんな天下り先でした。政府の中の、政府関係子会社とか政府関係法人。私がさっき言った天下りというのは民間への天下りです。今度は政府の中の部署の子会社みたいなものですよね。ここも天下りがわんさかいて、それは出資金で全部つながっているわけです。

なんでこんなに天下りができるのかというと、政府が出資して、補助金をつけているから。子会社から見たら政府は親会社になるわけですよね。そうすると関連の法人に、みーんな天下っていく。すごい数だからびっくりしました。出資金や補助金をテコにして天下りをしているというのがよくわかりました。しかも、これは、金融部局のときに見た民間企業への天下りとはタイプがまったく違います。民間企業の場合、役所が持っている許認可への情報の入手が天下りの人の役割ですが、こちらの官の世界では、天下りの人は役所の持っているカネ（出資金と補助金）をもらうのが目的です。

これはすごいと思いました。強烈ですよね。出資金や補助金を出して、親会社、株主になって天下りをやっている。各官庁みんながやるわけです。自分のテリトリーがあって。ものすごい数ですよ。政府の中でも出資関係がない、ちょっと緩い団体もあるんですけど、そういうところにもどんどん行くという仕組みになっているんですよ。

でもそれは財政投融資の改革そのものの話ではなく、その過程で事実としてそういうことがわかったというだけのことです。

財務省は、資産のほうの内訳を私が説明しちゃうことをすごく嫌がります。それはそのまま天下り先のリストですからね。

これは今から20年ぐらい前の話なんですけど、そのときに言われたのは、なあ高橋、お前な、これで大蔵省の力が分かるだろうっていうこと。それから大蔵省の外では絶対言うなということでした。

そりゃそうですよね。大蔵省は、政府出資や補助金のところすべてに絡んでいるから、天下り先がハンパじゃないんですよ、ほかの省庁と比べて。だって全部の省庁の特殊法人とか天下り機関に行けるから、猛烈にすごいわけです。

民営化と天下りの関係

高橋　一方、天下り自体が実はかなり予算をゆがめているのも知っていました。誰かが天下り先に行くと予算が変わりますしね。

その当時、特殊法人は財務がぼろぼろだと言われていました。ところが実はそれは真っ赤な嘘。なぜならば天下りが行っているから、それを守るために予算をバッチリつけていて、特殊法人なんか、どこを見ても大体みんな財務的には超優良会社で悠々としているわけですよ。

私はそのころにいろいろと民営化に関わっているんですけど、それは特殊法人の財務を全部調べて、実は財務は健全ですぐにもかなり民営化できるって知っていたからです。

その一番いい例が道路公団。道路公団改革のときに、道路公団が債務超過で大変だって言ったのは、民営化したくない人の言い方なんですよ。民営化して債務超過になると即倒産だから、民営化する前に直ちに政府からの多額な出資金が必要になる。だから民営化はできない、道路公団はぼろぼろだっていうのを世間に流したかったわけです。

それでマスコミがまんまと引っかかりましたけどね。道路公団はピンピンしてますよ、財務は健全ですごいですよ、すごくいい会社ですよと言っちゃったのは私だけでした。

民営化されると一番困るのは誰かっていうと役人ですよ。天下りが急速にできなくなるからです。

だから、民営化の話と天下りの話はリンクになっているわけです。私がその後の行政改革に関わるようになったのは、途中で、仕事として民営化と行革のほうがいいかなと思ったからなんですよね。小泉内閣もその方向でやっていましたから。

そのときにちょっと良心の呵責があったのは、民営化はやっていましたけれども、天下りをどう変えるかという方は全然やっていませんでした。役人から見たら、天下りができなくなるから民営化なんてとんでもないというのが考え方の基本。でも、公務員改革のほうは、正直言うとそのとき小泉さんの中ではもうできなかったんですよね、民営化のほうが忙しくて。本当は、公務員改革も一緒にしないといけないなと思いながらやっていたんですけど……。政府出資をテコにむちゃくちゃに天下って、財務省が特に跋扈しているというのを知っていましたからね。天下りの規制の話を一回小泉さんにしたことはあるんですけどね。そうしたらもう、何の関心も示さなかった。分かりやすかったですね。

当局が民間に取り込まれる「規制の虜」

高橋　まあ、あの人はそういう人なんですけど、だからこれはもう天下りの方はできないなと思ったので、それで良心の呵責があって、小泉政権後に安倍政権になって、安倍さんのところに行ったら、そうした話をできるようになったんですよ。安倍さんは、小泉さんがやっていないことでもあるし、まじめな人だからそういうのをよく聞いてくれて。高橋君って天下り知らないで役所入ったのとか、すごくおもしろがって言っていましたね。

そこで渡辺喜美さんが途中で来て行政改革担当大臣をやって、ちょっとやったんだけど、第１次安倍政権はああいう形ですぐつぶれちゃったでしょ。

そのあとに、それを継いで福田政権でやったということですよ。原さんはそのときに渡辺さんの下に来て、公務員制度改革の中心人物になった。あのときに経産省の中で最も優秀だし、それで渡辺さんの公務員改革をやるっていうのにはぴったりな人だったということですよね。

道路公団民営化をやったらもう、役所のほうはびっくりしちゃってね。これ本気かっていう感じでしたよ。道路公団だけじゃなくて、私は、不十分といえば不十分だけど、メトロとかそういうのもやっていますよ。小泉政権の時の民営化案件の仕掛けはほとんど私が関与しました。

なぜ民営化や公務員制度改革をやったのかといえば、民間企業が役所とズブズブになってしまうというのは、経済学でいう「規制の虜」っていうやつなんですよ。規制の虜というのは、役所のほうが取り込まれちゃうということ。

例えば原発なんかもその典型なんですけど、規制当局が取り込まれちゃって、真っ当な規制ができなくなっちゃう。そういうパターン。こういうのはちゃんとした理論があって、キャプチャード・エージェンシーというんですけどね。民営化ができないから、ある部分を政府で抱えちゃうんですよ。政府で抱えちゃうと、本当は民間でやってもいいような話をやらないんですよね。まともなことができなくなるわけです。

その典型例が、高速道路のサービスエリアです。民営化にはいろいろなレベルがあるんですけど、少なくとも道路公団のときにはサービスエリアなんかは全部、道路公団の人が運営するから、はっきり言って話になりません。そういうのはなるべく民間でやったほうがいいという、経済学の民営化原理というのがあります。それをわかりやすく言ったのは小泉さんで、民にできることは民にっていう、そういう話なんですけどね。民間でできるような話を官がやると言ったって、官というのは公務員ですから、ビジネスの話なんかできないんですよ。

にもかかわらず、政府がたくさん抱えちゃって、たくさんの子会社がいろいろなビジネスをしちゃってるわけです。そんなのはやめたほうがいいって言っただけなんですよ。民間で同じサービスができるんですから。

財務省のすごい巻き返し

――高橋さんとしては、そうした現状が許せないという使命感とか、愛国心のようなものがあったということでしょうか。

高橋　というか、これ、経済学の普通の原理で、どこの国でも普通にやっている話ですからね。やっぱり私も一応、経済学をアメリカで勉強したから、民営化原理とかそういうのを知っていて、他のいろいろな国もそれをやっているわけですよ。だから、そういうことは、普通の行政でやっていたら当たり前っていうふうに思っていて、何かの使命感とかそういうのはあまりないんですけどね。だって普通の話ですから。愛国心というわけでもありません。

単に普通の話。1＋1は2というレベルなんだから。愛国心持っているからといって1＋1が3になるとは言いません。別に、だから普通にさらっと、どこの国でもやっているということをいつも私は言っているだけなんですよ。

だって別に民間でできて同じサービスなのに官がやったらダメでしょうって、それはそのとおりでしょう。普通の行政官として、普通の経済学の基本原理を使っているだけですね。

だから私が言っているのは、経済学の基本原理でどこの国でも認められているような話です。経済学の一分野として公共経済があるんですけど、公共経済というのはある意味で、公的な部門がどこまでやるべきかというのを理論的にやってるわけです。だからそこをはみ出るともう、とんでもなくうまくいかないっていうのはわかっていますから、そこをはみ出ないようにするというだけ。ただし公共経済がわかっているから、すべてを民とも思わないんですよね。だからここまでが民でしょとか、結構そういうのは平気で言うほうなんですけど。そういうふうに思って言ってる、やってるだけですね。小泉政権のときに民営化やってたんですけど、そんな使命感というかいつも淡々とやってるっていう感じです。

政治でうまくいかないのもずいぶんありました。原さんなんかも知ってるけど、UR（都市再生機構）ってあるでしょ。あれの民営化をやろうと思ったんですけど、できなかった。政治的な圧力がすごくて。

そういう失敗例もずいぶんあるわけです。URを民営化したって大したことないし、普通のビジネスで普通のマンションの業者とどんな差があるかってよくわからないじゃないですか。だから、その中でごく一部のところだけちょっと公的なところがあるから、そこだけ分離して、あとは普通の民間会社でもいいなと思っていたんですけど、できなかった。なんでできないかっていうと、そのときの政治力学でみんな全然関心がなかったりすると、できないんですよね。ごく稀に小泉さんみたいな人がいた時にはできたんですけど。

あと、政策金融なんかは全部が官でやる必要はないわけです。だから政投銀（日本政策投資銀行）と商工中金（商工組合中央金庫）って、実は私のときに民営化してるんですよ。でも、民主党政権になったら全部戻されましたよ。財務省がすごい巻き返しをして。すごいですよね、やっぱり。彼らには天下り先の死守というすごいインセンティブがあるんですけど、私なんかは全然そういう強いインセンティブがないから、すぐ負けちゃうんですよ。

1990年、大蔵対通産の争い

原　高橋さんのヒストリーの話を聞いていて思いだしたのは、私、規制改革の話を最初にやり始めたときって、高橋さんと隠れた接点があるんですよ。
高橋　そうそう。
原　1990年、私は役所に入ってまだ2年目だったんですけど、そのとき商品先物の担当の部署にいまして。当時はまだ通産省ですね、経済産業省じゃなくて。そのときに商社とかいくつかの民間の会社が商品ファンドというものを売り出したんですね。

証券を組み込んだ証券投資信託は昔からあって、その後、最近はＲＥＩＴ（不動産投資信託）だとかいろんな商品を組み込んだファンドも当たり前に売られていますけれども、証券以外のものを組み込んだファンドの走りのひとつが商品ファンドでした。これは日本発ではなくて、最初はアメリカで売られ始めて、当時はそれを日本に持ってきて売っていた。日本の国内でもそういうのを組成しましょうというのが始まったのが90年だったんです。バブルがはじける直前ぐらいですね。

それをやったときに、当時の大蔵省証券局が、これは証券取引法違反だと言ってストップをかけたんですよ。証券を組み込んだファンドだったら証券取引法の世界だったんだけど、新しい商品だからグレーな領域だったんですね。

そこで、それを作っていた民間の会社の人たちが私たちの部署に駆け込んできたんです。聞いてみると、大蔵省証券局に高橋課長補佐っていう人がいてストップをかけているということが判明して、これはきっと、証券会社の利権を守るために、とんでもない接待攻勢を受けた大蔵省の悪辣な課長補佐がそういうことをやっているに違いないと気がついたわけです（笑）。

それで、ストップをかけるのはおかしいんじゃないかと、大蔵省と議論を始めました。証券取引法の規制のもと証券会社しかやれませんっていう世界にするのか、あるいは私たちが当時言っていたのが、一定の投資家保護のルールを作ってもっと幅広く参入できるようにするか。のちに本格的になされるようになる規制改革の先駆けのような議論をしていたんですね。当時はまだ規制改革なんて言葉も出てきていない時代ですが。

まあ、規制改革の議論ってこの手の話が多くて、これまでの業界がやってきたビジネスの仕組みがある中で、新しいビジネスモデルや商品、サービスが持ち込まれたときに、旧来の業界の人たちがストップをかけることが起きがちなんです。

この時の話は結局、大蔵省と通産省で一緒にルール作りをしましょうとなって決着しました。それで、悪辣な課長補佐だと思っていた高橋さんも、実はそんなに悪い人ではなかったことが判明し、一緒にルール設計して終わったんですね。

オリックス・宮内氏も登場

高橋　ただ原さん、そのとき、私以外の人も局長以下、みんな証券業界に飲まされていたんですよ。それで、その中で誰かが新参業者に伝えなきゃいけないっていうことになったら、私以外、伝える人がいないんです。大体いつも局長、課長、高橋って３人セットで飲まされていましたから、それは序列の中で課長補佐になっちゃうんですよね。だから結構、反省してましたよ、あのときは。

原さんの言うとおりでね、常日頃から飲まされているときに、業界から持ち込みがあるんですよ。そうするとね、最初の条件反射は、とにかく新参業者相手に新規参入をやめさせるっていう話なんです。

でも、原さんみたいな人が通産省から来るでしょ、業者じゃなくて。そうすると、これはやめさせるのは無理だなってすぐ方向転換するんですけどね。

で、役所と民間業者ではなく、役所同士の対等の者同士の話だから結構まともな議論になりがちなんですけどね。でも大蔵省と商品ファンドの業者だけだったら、大蔵省が業者を一方的に抑えつけるって形ですよね。その次の手は、じゃあ次は、税金が行くぞ、わかってるだろってすぐ言うんですよ。

税金というのは税務調査のこと。本当は証券局と税金は関係なくて、そこまで権限はないんですけど、国税庁にも知り合いはいますから。それで税金の話をしたら大体みんな民間業者は引き下がります。利権を守るためにこういうことをするのはあんまりよくありません。でも、既得権業者から役人が飲まされちゃっているとこういうことになるというい例（悪例）です。私は、この接待による役所と業者の関係を「飲まされ理論」と茶化しています。

ただ、新規参入というのは、既得権業者はいやがりますが、実は行政としては歓迎なのです。あのとき、田原総一朗さんが雑誌で連載を持っていて、私は匿名で出てきますが、その中で、新規参入があるというのは産業として魅力があるということなので衰退産業を担当しているよりはるかにましで歓迎、と書きました。

私のそういう考えは、上司にも業者にもミエミエでしたが、こういう件に関しては上司は部下の言うとおりですから、何も言いません。大蔵省の意向として、大蔵と通産（と農水）で共通ルールを作って「共管」するという案を伝えると、それまでいがみ合っていたのに、相手も同じことを思っていたようで急に仲良くなりました。

役所としては、新しい分野が「共管」となって仕事が広がりウィンウィンだし、新規参入する民間もハッピー、既得権業者は多少不満でしたが、まあ新しい分野のことなので時代の流れと納得しました。私も経済理論を尊重し新規参入に真っ向から反対できないので、「共管」でまったく問題なしでした。

原　ついでに言うと、このときに結構、そのあとの規制改革のプレイヤーみたいな人が出てきていて、その商品ファンド業者って商社もいたんだけど、もう一つ、一番最初に出てきたのはオリックスさんですよ。

高橋　そう、オリックスさん。

原　宮内義彦さんのオリックスって、まだ当時はリース会社と言われてもよくわからなかった。通産省の人たちだってあんまりよくわかってなかったですよ。そういう時期に、宮内さんが出てきて、大蔵省の金融行政のあり方を正面から問う、剛速球を投げ込んできたわけです。当時の大蔵省はそれこそ日本最強組織の絶頂期ですよ。業界に箸の上げ下ろしまで文句をつけて指導し、証券業界以外にも行政指導の網をかけるぐらい当たり前にやっていた。そこに盾つき、こんな日本の規制行政はおかしいんじゃないかと問題提起する人が出てきた。当時関わっていた人たちはみな、これは日本の経済社会の根源的な大問題だと目覚めたんです。宮内さんはそのあと90年代の半ばから政府の規制緩和委員会に加わり、規制改革会議の議長を長く務め大活躍されました。私は、当時の関係者では最も下っ端ですが、結局その後数十年、規制改革に関わることになった。そのきっかけになったのが商品ファンド事件だったんです。

高橋　私はだいぶあとで宮内さんに会ったときに、君が高橋君かって言われました。実際に会った頃には、もう私もすっきりさわやかだったから、規制改革について宮内さんはすごくいいことおっしゃいましたねって言いましたよ。クロネコヤマトの小倉昌男さんとかもそうなんですけど、宮内さんも経営者として立派な人なんですよ。やっぱり何かちゃんと信念があってやっているんです。私は飲まされて、自堕落になったっていうぐらいだから、あんまり信念ないですよ（笑）。ただし、経済学として当たり前で、他の国でもやっていることをやってきただけです。

政策決定がゆがむ理由とは

原　私がなぜ行政改革、規制改革に関わることになったかに話を戻すと、さっきの高橋さんは当たり前に経済学で考えただけと言われましたが、私も近いところがあります。普通に考えたら、それ認めたらいいじゃないですかとか、新規参入者は一切ダメだって変じゃないですかとか。やっているいろいろな政策決定がゆがんでるなっていうのが気持ち悪かったんで、それで、これはちゃんとやらないといけないなと思ってやり始めました。

通産省ってもともとあまり権限も予算もありません。そのあと90年代、金融行政だけでなく、当時の厚生省の医療行政とか文部省の教育行政とか、いろいろなところに文句をつけに行って、インベーダーと呼ばれたりするようになった。商品ファンド事件はそうした流れを作るとっかかりでした。宮内さんっていうすごい強力なプレイヤーが参入してきたことも合わせて、ほとんど知られていませんが、その後の出発点にもなっていました。

それでその後、規制改革や行政改革の議論が本格的に動いていくわけです。最近でも岩盤規制がずっと課題になっていますけども、根本的な問題は何かっていうと、一部の既得権を持った人たちの利害が優先されて政策が作られることです。さっきの証券業界もそうですけども、いったんその業界に入って、既得権を持っている人たちの利権が優先されて、新規参入してくる人や、新しいサービスを生み出そうとする人たちが軽視されがちです。これは見方を変えると、消費者や国民全体にとっての利益が軽視されているということなんですね。

なんでそうなるのかというと、これはよく鉄のトライアングルと言われる仕組みがあって、業界団体と族議員と役所が一緒になって、ゆがんだ政策を作りがちになっている。既得権業界は票を持っていて、政治家は票を持っているそちらの人たちの意向を優先しがちになるわけです。

なので、社会全体でいうと既得権を持っている人たちなんてごくごく少数であり、その利益の総量も社会全体の利益の中ではごく少ないんだけれども、政治の世界に行くとそうしたごく一部の利益のほうが優先されて政策決定がなされる。いわゆる族議員といわれる人たちは多くの場合、そうした声を代弁しがちです。これがまず一つ。

役所は既得権の側につく

原　もう一つは役所の側の問題で、一部の既得権と国全体の利益が乖離したときにどっちを優先するかというと、役所はたいてい既得権の側につきます。なぜかと言うと、役所は縦割りになっていて、何とか業の所管の役所とか所管の局とか所管の課が必ずあるわけです。そこの課長さんとか課長補佐さんからしたら、自分の業界のために仕事をするのは当たり前です。それがもうミッションになっているわけだから。自分の所管の業界のことはどうでもいいから国民全体のために仕事をしますなんて言ったら、仕事をちゃんとやってないと言われて、業界からも役所の中でも怒られちゃう。

そこから先が公務員制度改革につながっていくんですけど、それを変えるためにはどうしたらいいのか。政府の政策決定の仕組みとして、縦割りの官僚機構がボトムアップで政策を作っている限りは、どうしても個別の業界の利益の代弁をしてしまうわけですね。

だから、トップダウンで、総理大臣や内閣が国民全体のための政策決定の大方針を示して、その下で具体的な政策を練り上げるという、政策の作り方の切り替えが必要です。

これがない限りは、規制改革や、さっき高橋さんが言われていた民営化など、既得権とのぶつかりあいを伴う改革はなかなか難しいわけです。小泉政権のときに一定程度それが進んだのは、トップダウンで官邸主導で物事を進めていくやり方が、一定程度機能したからでした。

公務員制度改革の議論は、要するに縦割りで政策決定をするんじゃなくて、政府全体で意思決定する、官邸主導で政策の大きな転換もできる仕組みを作っていきましょうという改革でした。

最近は、官僚の忖度をもたらした元凶などと批判されがちな内閣人事局もその一環。政府全体の人事部を作り、政府全体で政策の大所高所の決定をする官邸の機能強化を図ったものでした。かつての高度成長時代からの右肩上がりの時代は、ボトムアップでいったん作った政策をちょっとずつ微修正していく仕組みが機能しましたが、激動期にはトップダウンで政策決定する枠組みが必要。その転換のために、90年代からやっていた行政改革と規制改革の流れだったわけです。

公務員制度改革と規制改革はそこで重なっている。高橋さんが言っている天下りの話は、官僚機構が既得権を優先した政策決定をせざるを得なくする、最大の結節点でした。そこはまず断ち切らないといけないので、第1次安倍内閣で天下り規制をやりました。その意味で、公務員制度改革では、まず切り込むべき急所が天下りであり、より高い次元の課題として官邸主導で政策決定できる仕組み作りだったのです。

加計問題は弱い規制改革

――しばらく前の話になりますが、加計学園獣医学部の騒動もまさに規制改革がらみの問題でした。高橋さんの見方を教えてください。

高橋　この問題については、原さんが渦中にいたし、たぶん詳しいでしょう。だから私は部外者としての見方ということになりますけれども、規制改革のレベルで考えると、この話って、実は私なんかが思い描いていたのとちょっと違う規制改革の中身だったんです。私は、文科省の大学の設置認可の許認可権をちょっと規制改革側が剥奪するとか、あるいは、文科省の許認可に介在するような形の規制改革を想像していたわけです。

そうしたら全然そうじゃなくて、単に、それまでは大学の認可申請を受け付けないとしていた規制を、申請してよいことにするという規制改革だったわけです。それは規制改革のレベルで言うと、すごく弱いです。改革というほどのことでもない。その話がどうしてこんなに大きくなるのというのが、まず不思議でした。そもそも、申請を文科省がストップしていたということ自体がとんでもない規制で、申請を受け付けないということは国民の権利侵害で、憲法違反みたいな感じなんですけどね。

だって、文科省が大学の設置申請をさせないなんていうのは、例えば運転免許の試験を受けたいときに、国民に、あんた運転免許を受ける資格ないですよと言うのと近い話なんですよ。申請の自由なんてあるに決まっているでしょう。それを、文科省が通達か何かで、受け付けないみたいなことを書いたというんですけど、そんなことがあったのかということに逆にびっくりしちゃうような話なんです。大学のほうが開き直って文科省を行政訴訟か何かで訴えたら絶対勝てるというレベルの話です。

ただ、大学は文科省の配下にあるから、絶対に訴訟なんかしないということを文科省はわかっている。さっきのオリックスの宮内さんと大蔵省の関係みたいな話とは全然違う。うちの大学だって事務長か何かが、文科省の係長レベルに、もう足繁く通ってお願いしますっていう、大学と文科省はそういう関係です。そのくらい大学の人が文科省に従順なのは、大学は許認可を文科省に握られているからなんですけどね。

2002年に決着した「事後チェック型」への転換

——では、当事者に近かった原さんからお願いします。

原　大学・学部の設置認可についての規制改革の流れとともにご説明します。

沿革を遡ると、私立大学は1976年以前は法律の規定通り、最低限の要件さえ満たせば自由に新規・拡充が認められていました。これが76年以降、計画的整備に転換されます。自由な新設・拡充の結果、教育の質の低下や立地地域・学部の偏りが問題になったためです。そして、93年には18歳人口の減少も踏まえて、大学と学部の許認可は、計画的整備から抑制方針に転じました。つまり新規参入を認めれば劣悪な事業者が参入しかねない、だから役所の許認可によって需給を調整しようということになったのです。

その後、90年代の後半から規制改革の議論は相当進みました。オリックスの宮内さんなどが規制改革会議に参入してこられたのがこの頃です。

小泉内閣以前は、どちらかというと通信や運輸などビジネスの世界の規制改革が中心だったんですが、それに対して小泉改革になってからは、教育や医療など、ちょっと難しい分野にまで手を突っ込んで改革に取り組み始めました。その一つが大学の話です。大学の設置規制は、先ほどの抑制方針以降、それこそ既得権保護の典型で、新規参入は基本認めない一方で、いったん作られたら私学助成金を出して守り抜くという仕組みでした。いったん入った人にとっては天国みたいな世界ができあがっていたわけです。

これに対して、新しい大学が入ってくると教育の質が下がるという理屈はおかしいんじゃないかとの議論がなされるようになった。新規参入があって競争したほうが、むしろ教育の質が上がるんじゃないかということです。

もちろん大学だから、競争した結果、大学がつぶれてしまうと、そこにいた学生はどうするのかという問題が出てきます。それはセーフティネットを作る必要がある。ただ、そうした制度は設けたうえで、学校教育についても競争があっていいんじゃないかとの議論がなされた。

そういう議論をさんざんやって方針転換が決まり、２００２年に閣議決定で、大学認可についてはこれまでのようなやり方ではなくて、「事前規制型から事後チェック型」に切り替えることになりました。これは当時、いろんな分野で横断的に進められた規制改革の基本的な考え方です。劣悪業者が紛れ込むことを防ぐために、事前に競争や参入を抑制するのではなく、ルールを設けて劣悪業者を排除し、一方で健全な競争は促進する。大学についてはこの転換が2002年に決定されました。

なので、規制改革の経緯としては、加計学園の問題というか獣医学部の設置規制の問題は、すでに2002年に決着しているんです。事前規制で新規参入は一切認めないなんて規制はもうやめましょうと、その時点で決定していた話だったんですね。

議長も呆れた前川喜平氏の抵抗

原　ただ、実はその閣議決定の中に、獣医学部など強力な抵抗・反対のある領域については継続的に検討しますという文言が入って、ずっと延長戦になっていた。基本的には決着していた話が、その後延々と続いて十数年たって加計問題につながったということなんです。

さっき高橋さんがすごくつまらない規制改革だと言ったんですけど、全くそのとおりで、普通の設置認可の仕組みに戻しますという当たり前の話なんですよね。これまでは一切、申請すらさせなかったのを、申請していいことにしますよっていう、常識的なことしか言っていないんです。

高橋　私、自分で直接担当していたわけじゃないからよく覚えていなかったんですけど、加計学園の名前は2002年ぐらいから出ていたと思いますよ、確か。獣医学部で申請させてくださいっていうのは普通の話ですよ。

それでも申請を受け付けないと文科省はずっと粘っていました。その後、事務次官になる前川喜平さんなんて、規制改革会議のワーキンググループでヒアリングされたときに、全くロジックにならないことをわめきたてて、会議のメンバー一同があきれ返ったということもありました。最後に草刈隆郎（たかお）議長（日本郵船会長＝当時＝）が「前川さんの話は全く議論を否定するものだと思います。もう結構です。別途、私がしかるべきおたくの官庁の人とお話しします」と話を打ち切ったことが、議事録にも残されています。だから、前川さんはそのころから規制改革に対して腹に一物持っていて、それをずーっとためていて、それで加計問題の時に「行政が歪められた」と意趣返しのつもりで言ったんじゃないんでしょうか。

原　私はそんなに昔からは知らないんですけど、特区のワーキンググループで議論したときには前川さんが何回か来てお話ししました。

高橋　前川さんはそれ以前から規制改革からみれば変なことを言う、文科省の代表だったと思いますけどね。

私も、商品ファンドのときに役所の代弁をしたんですけど、私なんかすぐコロッと変わっちゃうじゃないですか。飲まされなくなったらあっという間に呪縛が解けちゃうんですけど。

前川さんも文科省を背負っていたんじゃないかなあ。でも、文科省が背負っているのは、大学の事務局とかに人を送ることですよね。そういうところしか、天下り先もあまりないですし。だからそういう受け入れ先を大切にするという意味で、既得権を守る側に入ったということなんじゃないですかね。

本末転倒の理屈

――前川さんは、著書の中で「農水省が獣医の需給関係のデータを出してくれなかったので、こちらは学部を認可するわけにはいかなかった」と言っているのですが、その点について原さんはどうお考えでしょうか。

原　その理屈は話がひっくり返っていて、そもそもは、じゃあなんで大学の申請を受け付けないという規制をやる必要があるのかという話が先のはずなんです。

規制改革の議論では、特区のワーキンググループとか規制改革の会議で私たちの側と役所で議論するわけですけど、私たちが常に質問するのは、なんでその規制をする必要があるのかということなんです。これは憲法上、営業活動などの自由が認められていますから、規制する側が根拠を説明しなければならない。それに対して役所の側が、いや、こういう理由で規制をする必要があるときちんと説明できれば、それはもっともですねとなるわけです。

今の需給の話に関して言えば、農水省うんぬんっていうのは、要するに獣医学部を新設すると獣医の数が余っちゃう可能性があるという話ですよね。獣医を所管して、そこの需給について把握しているのは農水省です。なので、農水省の判断として、これ以上、獣医学部を作ったら獣医が余ってしまう、せっかく獣医学部で人を育てても無駄になって困りますよと説明をしてくれれば、それはまだ議論をする余地があります。

もちろん、その説明があったらいいわけではありません。そんなことは、いろんな分野でほかにいくらでもあることですね。経済学部だって法学部だって文学部だってみんな同じ問題がある。経済学を学んだ人が社会にとってどれだけ必要なのか。将来予測したらさほど必要なさそうなので、経済学部の設置申請を一切止めますなんてことはやってないわけです。では、なぜ獣医学部は特別なんですか、という次の議論に進むことになります。ところが、この議論はそれ以前に終わりました。前川さんも言っているとおり、農水省から獣医が余ってしまうという説明は出てこなかったので、その先の議論に進みようがなかった。将来予測データが出てこなければ学部設置を止めるべきなんて話になったら、すべての学部が設置禁止になりかねませんね。

需給関係の予測は不可能

高橋　さらに付け加えるとすれば、そもそも、もう需給関係で行政をしないという方針は、確か２０００年ぐらいに既に決まっていたんです。需給関係なんて、役所がわかるわけがありません。だから仮に農水省が、需給関係について言ったとしても、そんなものはわかるわけがないでしょうと言っておしまいなんですよ。農水省もさすがに恥ずかしいから、そんな話は外に言わなかったというレベルの話じゃないんでしょうか。

原　そうなんですよ。行政が需給調整をやりませんというのは全くそのとおりで、世界中の規制改革の基本的な考え方なんですよね。かつて、20世紀の半ばぐらいには重要な産業分野、例えば通信、航空、金融とかいろんな分野で行政が需給調整の規制をやっていました。航空なんかはどの便にどれぐらいのニーズがあるかを全部、政府が判定して、何便運航していいかを政府が認可する仕組みでした。

これは需給を政府が正しく把握できるという前提でした。しかし、経済活動が複雑に広がっていく中で20世紀の半ば過ぎになって、政府がそんなこと全部把握できるわけがないと言って始まったのが規制改革。最初は規制緩和という言葉が使われていましたけど、アメリカのカーター政権のときに航空分野で始めたのが一番最初で、政府が需給調整をやるのは無茶だからやめましょうよという流れになった。だから、基本的な政府の役割論として、もうとっくに終わっている話なんですね。

高橋　大体、役人がいろんな予測式を立てたって、デタラメに決まっているというような話じゃないですか。それでマスコミは需給調整ができるかのように報じるんですけど、誰ができるんだろう。やってみるとすごく難しいんですよ。ましてや能力の低い役人になんかできるわけないと考えるのが普通じゃないでしょうか。疫病のほうがまだ読めますよ。需給のほうがもっと読めない。それなのにまだ需給調整の話にこだわっている前川さんという人は、よっぽど頭が遅れていると思いますよ。

天下りの斡旋で懲戒処分

――加計学園問題でいろいろな証言をしている前川さんは、実は文科省の天下り問題に絡んで懲戒処分を受け、事務次官を辞めています。これは公務員制度改革とも関わることですが、高橋さんから少しご説明いただけますでしょうか。

高橋　天下り問題について、すごく細かく法律の作業をやったのは原さんですから、原さんのほうが法律については詳しいと思うんですけど、私は小泉政権のときから、そういう天下り規制が重要だという考え方を小泉さんとか竹中さん（竹中平蔵・元総務相）にはよく言っていました。

天下り規制と簡単に言うけれども、実はあれを法律の形に落とすのは結構難しいんです。なぜ難しいかというと、一般にそれは再就職でしょうというふうに言われちゃうんですよ。天下りを定義するのも大変だし、規制するのはもっと難しい。再就職の自由はあるだろうっていうのは一般的な感覚ですし。そうすると、そこから先になるともう竹中さんも、全然役所の仕組みなんか知らないから、話がなかなか先に進まなかった。

それで、天下りというものをいろいろ細かく分解して、何が一番クルーシャル（重要）なのかを考えました。実は、許認可を持っている役所が斡旋するというところがポイントなんです。

斡旋というのはどういうことかというと、はっきり言って口利きですよ。口利きだけど、天下りを受けるほうから見ると、その人がちゃんと役所からのお墨付きを得たかというのが非常に重要なわけです。全然お墨付きを受けてないような人を天下りでもらっても役に立たないですからね。

それで、そのお墨付きを与えるのが、実は役所の関係部局なんですよ。こういう人がいいですかっていうことを、企業のほうに、企業というか天下り団体、認可法人に、一応紹介するんですよ。こういう人がいますよって。

それは役所のしかるべき人のというか、権限のあるところから来るから、天下りを受け入れるところは、これはちゃんと裏書きされた人間だってわかるんですよ。だから役所が斡旋をするというポイントが一番重要なわけです。

この斡旋というのは事実行為だから、ここは規制できるんですよね。役所以外の人が斡旋しても別に構わないんですけど、役所が斡旋するのが、天下りで一番重要ですからね。だからここを規制のポイントにすれば、実は職業の自由、再就職の自由というのも侵さないわけです。本人の問題じゃなくして、役所のほうの、当局の人間が斡旋するというところにポイントを入れて法律を作る。

あとは原さんが、そこはすごく精緻に多分作られたと思うんですけど。私なんかはアバウトに、幹部に説明するときに、いや、役所がね、この人がいいですよって言うのがポイントですよって、そんな話をしていたわけですよ。そうするとみんな、それもそうかな、なんて言って。前川さんは、官房長だったんでしょ。

初歩的な違法行為

――２０１２年1月から官房長、14年7月から審議官、16年6月から次官です。

高橋　人事当局に近いところが口利いたらすぐに引っかかるという法律のはずですよ。そういうふうに幹部の中枢が、お宅ちょっと困ってませんかねなんて電話するんですよね。そうすると、誰かお願いしますなんていうのを、企業とか大学から聞いてつないじゃったらもう斡旋になっちゃうわけです。

原　斡旋規制というのを２００７年に作りました。それまでは、高橋さんが言ったように、役人が役所を退官するときに、役所の事務次官だったり官房長とか人事課長とかが、次ここのポストに行ってくださいっていうことをお世話する。それから既に辞めている人に2回目、3回目の天下りのお世話をしてあげるという仕組みが役所にはあったわけです。

作るときに大反対があったんだけれども、それに規制をはめましょうという法律を作った。こういうのを作らないとやっぱり政策のゆがみを正せないということで、第1次安倍内閣のときに相当そこは頑張って規制を導入した。

導入した当初からいろんな役所の人たちが言っていたのは、このルールが作られたら、仕方ないからOBにやってもらうことにしようと。役所の中にいる人は違反行為をやらないようにして、すでに退職したOBに斡旋をやってもらえばいいんじゃないかという話は、法律を作る当時からありました。

政府の中でもそういうところにまでちゃんと規制をかけて、抜け穴作らないようにしないとまずいという話はあったんだけれども、もうこれはやっていくときりがないんですよ。OBは規制しますっていうと、OBじゃない、また外の代理人みたいな人を作っちゃえば網にかからなくなっちゃうし。そこで、ある程度抜け穴ができちゃうのはしょうがないと割り切りました。とはいえ役所の中の人事とも関わっている話なので、人事担当者が一切、斡旋行為に関わらないことは実際には難しいので、それは見つかっちゃったら違法行為になりますよというルール設定をやったのです。

そこで、前川さんがやったのは初歩的な違法行為です。誰が見ても引っかかる、相当レベルの低い違法行為をやっちゃった。

高橋　レベル低いですね。本当にね。文科省らしいですよ。

原　報告書によれば、現職の文部科学審議官として直接関与していた。

文科省と大学の特殊な関係

――なぜそんなことをしてしまったのでしょう。

高橋　一つは、前川さんがあまり優秀ではなかったということでしょうね。だってこんなの、やったらもろにわかっちゃうんですよ。実は、私の知っている限りでは、国交省でもこういうことがあって、一回何か処罰を受けているんですけど、要するにあまりレベルが高くない官庁だとやっぱりルールも知らないっていう類の話だと思います。普通に考えたら、ここはワンクッション入れるとか、すごく証拠を薄めてやるはずなのに、それすらできなかったってことでしょ。

あるいはそんな制度に全く無頓着だったのか、何も知らなかったのか……。ちょっと信じがたい。法律を作ったわれわれだって、まさかこんなあからさまな違反があるはずないだろう、もうその抜け穴は知ってるだろうって思うくらいの話でしたから。だからそれは恐ろしくレベルが低くて、何かもう唯我独尊というか、自分の世界に閉じこもっている人なんじゃないかという気が私はしましたけどね。

あとは、自分でやって何とも思わなかったのは、要するに組織のためにやっていると思い込んでいたんじゃないかということかな。でも、ちょっと信じがたいレベルの話ですね。いろんな省庁から見て、本当にみんな、バカじゃないのっていう感想だと思いますよ。

——文科省ではその後、東京医科大学の入学試験をめぐり、幹部が逮捕されるという事件も起こりました。

高橋　まあ文科省はそんなレベルなんですよ。要はね、文科省と大学の間って、たぶん普通の人の考えるのとちょっと全然違う、濃密な関係なんですよ。だから、まさかそんなところでばれるとは思わなかったとか……、甘いわけです。普通の業界は、相手から漏れるとどうのこうのっていうことを考えると思うんですけど、そういうのに全然気がつかないんですよ。

だって文科省の係長とか係員レベルだって、大学にすごく偉そうな態度で接して平気ですもん。学歴だって、大学の先生のほうがずっと上だと思うんですけど、全然上から目線で平気で言うんです。そういうところにずーっと何十年もいると、絶対世間が分からなくなるんじゃないのかな。

前川さんの事件でやっぱりまずかったのは、菅さん（官房長官）が国家公務員法違反と文科省でも認めておきながら自主退職にして退職金を払ったことだと思いますよ。あの事例は法律違反だし、温情ではなく、自主退職ではなく処分すべき案件だったと思います。

原　文科省に特有の問題というのはやっぱりあったんだと思いますよね。大学との関係が密である。また、文部科学省を定年まで勤めた人がじゃあ次、どこに再就職できるかを考えた時に、これまでの業務の関係先である学校法人に行くとか、大学に行くとか、そういうの以外ではなかなか難しいかもしれない。

その場合、何を期待されて行くかというと、役所との窓口、文科省のことをよく知っている人として行くことになります。そういう再就職になっちゃいがちであるという問題がどうしてもある。

今も不透明な再就職プロセス

原　それで天下り規制を作ったときにもずっと言っていたのは、そこの再就職の仕組みを透明にしようということなんです。そこで、官民の人材交流センターというものを作って、退職した人が再就職をするプロセスを透明にしようとしたんですけど、これが、残念ながら全然機能してないわけです。機能してない中で、しょうがないからそのままやっちゃえと言ってやっちゃったというのが文科省。

文科省は特に問題が大きいかもしれないですけど、今見てるとやっぱりほかの役所も大なり小なりみんなそうです。前川さんほどあからさまにはやっていないにしても、これまでどおりの斡旋をOBの人がやっている。辞めた直後の人にOBから突然電話があり、2カ月先にこのポストが空くらしいって言ってくるとか、そういうのはもう当たり前のようです。天下り規制って一応作ったんだけども、再就職のプロセスを透明にするっていうところはうまくいってないですね。結局、裏で天下りもどきみたいなものが今も続いている。

本当は透明にして堂々と再就職したらいいと思うんですけど、何か変な慣行もできあがっちゃっていて、役所を退職した人の多くが数カ月間無職のままいるんですよ。これ、全然そういう規制にはなってないんだけど、勝手にそういう慣行にしているところが多いらしい。無職になっている間に、これまであまり会ったこともなかったようなＯＢが突然電話してきて再就職が決まるっていうね、何かそういう不思議な慣行になっているんです。まあそこが思ったほどうまくは機能してないっていう状態ですね、天下り規制については。

高橋　あの人は出会い系バーで貧困調査したんでしょ。研究者であったら、調査をしたら発表しなきゃダメです。どういうやり方でもいいですよ。どこかの学術論文に出すのもいいし、本出すのもいいし、商業週刊誌でもいいし、どこでもいいんです、発表してくれれば。

あれはフィールドワークのはずです。フィールドワークだったら対象者をきちんと書かなきゃいけない。もちろん個人情報があって書けないところがあるかもしれないけど、何歳から何歳まで何人調査したか、それを含めてね、ぜひ公表してもらいたいですね。

原　私が何度か接した前川さんってね、まあ何て言うのかな、一定の気骨があって、時の権力に阿(おもね)らず筋を通そうとするという面はいい人なんだろうと思いますよ。その筋が正しい方向かどうかは評価が分かれるんだろうと思いますけれども。昔の小泉改革のときの三位一体改革なんかも、彼は政権の方針に反して反対を表明したりとかね。自分の信念に基づいてやろうっていう気持ちを持たれている人なんだとは思うんですよね。

言われたことだけやりますというレベルの役人とは違って、ちゃんと自分の考えに基づき発信して行動するという、それは悪いことじゃない。組織の中にそうした人は必要だと思いますよ。

森友問題の本質は事務的ミス

――では次に、森友問題についてお伺いします。高橋さんはこの問題の根幹は近畿財務局が土地の払い下げを随意契約にしてしまったことにあると発言しています。ご説明いただければ。

高橋　私は随意契約にしたのがおかしかったということを言ってるけど、マスコミの人は全然そういうのがわからないみたいですね。あれは、随意契約にして籠池さん（籠池泰典・森友学園元理事長）みたいな人が相手だったら、もう競争入札でやり直すしかないという案件ですよ。

だって籠池さんみたいな人を、随意契約で値引きしても説得なんかできるわけない。どうしてこんなことをしてしまったのかというと、相手が教育関係者だからでしょう。なぜかと言えば、役所が許認可を握っているから、普通は絶対にたてつかないんですよ。

そんなところでたてついて変な風評がたっちゃったら、役所のほうだって学校設置認可に、二の足踏んじゃいますから。そうなったら困るから教育関係者はトラブルを起こさないようにするし、役所は平気で随意契約をやる。しかし、実際にトラブルになったら、もう競争入札でやるしかない。そこがこの問題の本質です。私がこの話を政府首脳にしたら、ずーっと聞いていて否定もしないで、そういうことなのという感じで言ってましたよ。

テレビで一度随意契約が間違っていたと生放送で言ったところ、放映が終わったら即座に財務省からディレクターのところに抗議が来ました。抗議の内容は、高橋の言ってるのはデタラメだということで、30ページ以上の条文をFAXで送ってきたんです。私がテレビ局を出たらすぐ財務省から電話がかかってきて、大変ですって言うのでびっくりしましたけど、財務省が送ってきた法律の条文を見ても私が言っていることは全然間違いじゃなかった。要するに威圧をかけただけだったんです。

だから多分、競争入札にしなかったというのが財務省近畿財務局の大チョンボで、それに籠池さんのキャラクター、あとは安倍昭恵さんとの関わりとかいろいろ上乗せされているというのがこの案件です。佐川宣寿（のぶひさ）氏（元国税庁長官）は、この手の話が全部見抜けなくて、国会答弁は最初からミスっていた。書類を廃棄しましたっていうんですけど、廃棄したってどこかに残っていますよ、こういう話は。なのに、平気で廃棄しましたって言って、ずっとそれでいっちゃったでしょ。彼はとても不勉強だった。不勉強の典型で答弁ミスして、それであとで決裁文書消せと言ったのが真相だと私は思います。

役人としてはとんでもないですよ。先に決裁文書を読んでおいて、それに合わせて答弁するというのが普通です。先に決裁文書を近畿財務局から取り寄せて読まないで、あとで自分の答弁に不都合だったといいうんで問題箇所を消せという話になっていったわけです。だから全部、佐川氏が保身のために、自分の答弁を正当化するために言って、それで近畿財務局の方が亡くなっちゃったという話じゃないんでしょうか。とんでもないと思いますよ。安倍さんが責任をとって辞めるとかいう話では全然ないんですよ。

佐川氏は事実を語るべき

原　佐川さんはちゃんと事実を語るべきだと思いますね。部下の人に違法行為をやらせるという、およそあってはいけないことが起きたわけです。

これは佐川さんが指示をしたのか、あるいは佐川さんが指示をしたわけではなく、その間にいた人たちが佐川さんの意をくみ取って指示したのかよくわからないけれども、ともかくそうした事態が起きて、経過が明らかにされていないといってご遺族の方が訴訟を起こす事態に至っています。

佐川さんはあの事件が問題になっていた頃に国会で証人喚問があって、一度、証人として呼ばれていますけれども、そのときは刑事訴追のおそれがあるからというので事実をすべて明らかにはしなかった。もう今は捜査も終了したわけなので、事実を明らかにしたらいいんじゃないですか。

これだけの問題を引き起こしてしまった中で、役所を既に辞められているとはいえ、官僚機構の幹部を務めていた人としての責務だと思います。

経過の資料を捨てちゃったみたいなことはもうあり得ません。この件に限らず、利害関係者にえこひいきしたんじゃないかと疑われかねないケースっていうのはあります。

政府でも会社でも、そうしたときの処理の仕方にはパターンがあって、疑われかねないときは一切関わらないようにするか、あるいは、こういう判断をしましたっていう根拠をきちんと文書で残すか。政府の場合は、関係者がいたら一切関わらないというと切りがなくなることが多いので、接待などは倫理規程で禁止し、あとは記録を残すことが基本です。今回のようなケースであればなおさら、経過としてこういうことがあったけれども行政の判断として正当に行ったと、きちんと文書で残しておかないといけなかったはずなんです。

森友では、そうした経過を記録した文書を書き換えて消してしまったわけで、これはもうあり得ない。あり得ないことをさせた責任ある人が説明すべきだと思います。

官邸の力は強くなっていない

――官邸の力が強まったがゆえに官僚が忖度をしてこんなことが起こっているのではないか、という議論もありますが。

原 官邸の力って、私から見ていると全然強くないですよ。内閣人事局を作って、官邸が思うがままに人事をやって、それで官僚はみんなそれに忖度しているみたいなことが言われるんですけども、官邸主導の政策決定なんて何もなされてない。

そもそも、私から見えている経済政策とか規制改革の世界で言えば、安倍総理は第2次内閣ができて1年ほどたった2014年1月に、2年以内に岩盤規制をすべて自分が突破しますとダボス会議で発言するんですけど、そのあと何も岩盤規制改革なんか進んでいません。

これは結局、官僚機構のほうの力がまだまだ全然強くって、官邸主導でそれを突破していくなんてできていないのです。今回のコロナ対応でなされている経済対策だってまさにそうで、昔ながらのボトムアップのやり方で政策を作っているから、緊急時対応がまともにできていません。

数少ない官邸主導でなされている政策は外交・安全保障の世界です。外交ってやっぱり官邸主導で、首脳間の信頼関係をベースに進めやすい領域なので、そういった限られた領域では官邸主導がなされているんだけれども、政策全般については全然なされていない。

政策決定の仕組みとして、何から何まで官邸主導でやる、トップダウンでやるというのは、できません。多くの領域でいろいろな部局のボトムアップでやっていくのは当たり前で、役所の官僚機構にゆだねるんだけれども、ここぞというところはトップダウンで、大方針を決めて打ち出すっていう、これが大事なわけです。

そこのメリハリが残念ながらまだまだついていていない。外交とかごく限られたところだけになっていて、規制改革みたいに官邸主導でリーダーシップを振るわないと進まない話とか、緊急事態対応の局面とか、そういうところでも全然官邸主導はできていないということだと思います。

「官邸への忖度」は本当か？

高橋　森友問題については、さっきも言いましたけれども、近畿財務局が最初に競争入札にしなかったという事務ミスをして、佐川氏はそのミスすらわからないで国会答弁しちゃったというだけの話です。

もともと、国有財産の仕事というのは地方の財務局マターなんです。要するに本省は全然わかりません。近畿財務局の中にも2系統あり、一つの系統のほうは理財系統で、これは大体キャリアがやりますが、もう一つは国有財産系統で、これは基本的にはノンキャリの世界。だから基本、国有財産の関連部署にはキャリアはいないはずです。よって、国有財産の話って、ものすごく本省キャリアからは遠い業務。本省から遠いということは、官邸からものすごく遠いんですよ。

佐川氏だって本省にいてよくわからないから、最初はよくわからないまま、答弁しちゃったんじゃないですかね。普通は、２０１７年2月、予算委員会の前に報道があったときには、すごく勉強するんですけどね。

実は、予算委員会の前に財政金融委員会で質問があったんですけど、佐川氏の答弁は落第でしたね。最初から間違ってるんですよね。

だからそれは、佐川氏がもっときちんと説明しなきゃいけない。マスコミは官邸への忖度という風に報じているけれども、佐川氏はその世論を奇貨として、自分の責任から逃げているように私には見えるんですけどね。

第5章　毎日新聞の「スクープ」で考える報道と国会

1面トップの記事を裁判では否定

――では昨年6月に、規制改革をめぐり原さんが毎日新聞から大々的なバッシング報道を受けた件を通じて、報道と国会の問題について議論していこうと思います。かいつまんで説明しますと、毎日新聞が２０１９年６月11日付朝刊の１面トップで、顔写真入りで、国家戦略特区をめぐる原さんの「疑惑」を報じました。特区提案者から原さんが現金と会食接待を受けたことが強く印象付けられる紙面です。この日の記事の内容は、美容学校に関わる規制改革の話を報じたものでした。毎日新聞の報道はその後も続きますが、漁業法をめぐる話も出てきます。また、この記事を国民民主党の森ゆうこ参議院議員をはじめとする野党議員が取り上げ、毎日新聞はその動きをさらに報じていきました。

記事について原さんから解説いただけますでしょうか。

原　まず、この件で本当に驚いたのは、新聞って全く根も葉もない記事を書くことがあるんだなということですね。新聞報道に間違いのあることはこれまでも知っていました。しかし、そうはいっても、大々的にスキャンダルを報じる記事をみたらこれまでは、すべてが真実かはともかく、少なくとも何らかの不正があったんだろうと思っていました。ところが、この記事に関して、私には何ひとつ不正がないわけです。それにもかかわらず、私が不正な金をもらったとしか読めない事実無根の記事が出ました。

裏の目的はよくわからないわけですが、規制改革を止めたい人たちが、何らかの形でリークをして、それに乗っかって毎日新聞さんがちゃんとした取材をせずに記事を書いてしまったということだと思います。そして、それにまた乗っかって、国民民主党の森ゆうこ参議院議員をはじめ何人かの野党の国会議員の人たちが攻撃をしたという構図ですね。

いま毎日新聞との裁判をやっていて、近いうちに一審の判決が出ると思いますが、すでにその過程で、いろいろなことが明らかになってきました。まず前提として、最初の

毎日新聞
MAINICHI
6月11日(火)
特区提案者から指導料
WG委員支援会社
200万円、会食も
香港デモ 警察と衝突
ビジネス支援
見てくれる
申請者「コンサルの
民間委員「利
NEWSLINE
キッズゾーン新設へ

2019年6月11日付の毎日新聞朝刊。大報道はその後も続いた

毎日新聞の記事では2つのことが書いてあった。一つ目は、私が特区提案者から金をもらったということ。明らかにそう見えるような記事だったわけです。もう一つは私が会食接待を受けた、フグをごちそうになったと書いてあった。そして、特区の委員という立場を利用して、金をもらい、会食接待を受けているのは問題だ、という記事だったわけです。そんな事実が全くないので、記事が出たその日のうちに、私は反論文を公開しましたが、毎日新聞はその後も続報を出し続けたんですね。５日続けて１面、その後も１カ月続いたわけです。それで仕方ないので、こちらも毎日反論文を公開し続け、それでも止まらないので提訴しました。

裁判になったら向こうが主張してきたのは、記事には私（原）がお金をもらったとは書いていないというのです。確かに記事の文面をよく見ると、私ではなく別の会社がもらったと書いてあるところもあるんだけれども、まあ1面のチャート図には私の顔写真が大きく出て、見出しには「指導料200万円」と書いてある。しかも、記事の最後には、「原氏が公務員なら収賄罪に問われる可能性がある」という大学教授のコメントまで載せてある。どう考えたって私が金をもらったとしか見えません。ところが、毎日新聞は記事の最重要部分について、裁判では「そんなことは書いてません」と否定しているわけです。

ひどいことに、裁判ではそんな話になっているのに、国会ではその後も、この記事に基づく指摘がなされました。森ゆうこ議員は2019年10月の参議院予算委員会で、私が収賄罪相当のことをした、つまり金をもらったと発言した。これはNHK中継の入っている質疑でしたから、全国にあまねく虚偽をばらまいてくれたわけです。ところが、毎日新聞は、これを否定しようともしない。本来なら「森議員の国会質問は大間違い。記事にそんなことは書いてません」と1面トップで報道すべきでしたが、それもしない。

無責任極まりないと思いましたね。

もう一つの会食接待についても、そんな事実は全くない。記事では福岡で会食接待を受けたことになっているのですが、この日は私はたしかに福岡にいました。しかし、15時まで会議があって、16時過ぎには空港に行って飛行機に乗っているので、およそ会食は無理なんです。記事が出る前に取材があって、記者さんにそう伝えているのですが、なぜか会食接待を受けたとの記事になった。これはその後、日本語の読み間違いと思い込みに基づくことがわかってきた。私と一緒に出張していた藤原豊さんという内閣府の人がいて、その人も一緒に会食接待を受けたかのような記事になっているのですが、その藤原さんと記者さんとの取材時のやり取りで、記者さんは藤原さんが店に行ったことを認めたと思い込んでしまったんです。これは、回答文書を単に読み間違えているだけなのですが、それで記事にしてしまったらしきことも大体わかってきた。だから、最低限の日本語能力のある人を取材に出してよ、という話だったと思っています。

どんな記者が書いたのか

高橋　この記事を書いた記者の人、私は知っているんですよ。直接会ったことはないんですけど、森友問題のときに、実は森友問題というのは近畿財務局が本来競争入札をすべきところを随意契約にしちゃったから、あとからごみの話が出てきて値引きの話になっちゃった、ということをあるところで書いたんです。私は国有地の仕事をやったこともあるから、そういうことはわかるんです。最初のそういう非常につまらない事務的なミスを直さないでそのあと値引きとかいう馬鹿なことをしちゃったということ。

そうしたら、その記者の人がメールをよこしてきてね、高橋さん、本当にその通りなんです、って言ってきたんですよ。そうやって近づいて来て私に取材したいということかなあと思ったんですけど、「その通り」っていうんだったら、お宅の新聞もそう書けばいいじゃないって言ったんですよ。でもうーんうーん書けないって言いながら、何回もメールしてきてやり取りしたのね。

当時、記者の間に回っていた鴻池（こうのいけ）さん（故鴻池祥肇（よしただ）・元参議院議員）のメモというのがあって、鴻池さんがこの件に関して近畿財務局にずいぶん働きかけをしているわけです。その事務所からメモが出ていて、私も他の記者から解説してくれといわれて知っていたんだけど、そのメモを私に送ってきてくれて、やはり解説を私に求めてきていた。でもそれを見ても、競争入札をしなかったからそのあとトラブっているという話ばかりなんですよ。競争入札だったら、ごみ付きで競争入札をしたらものすごく安くなって、ディスカウントするんです。要は競争入札の手続きだけしておけば、価格は公正だということになって、財務局には何の責任もなかったんですよね。だから、そういうコメントをしたんですけど、この記者の人は何も書かなかった。正直に言うと、資料の読み方とか、詰めの甘い人だなあ、と思っていました。なにか安倍批判でもコメントしたら都合よく使おうと思っていたんですかね。

その後は国家戦略特区がらみの疑惑ネタを探していたのかどうか、実は私が勤める嘉悦大学にも取材をかけてきたんですけれども、その情報のもとはネットの記事なんですよ。何か私と岸博幸さん（慶應義塾大学教授）が特区ビジネスコンサルティングの顧問をしているという話なんですけど、私と岸さんが原発の話かなんかで対談したことがあって、ネットの記事ではその時の写真をそのまま使ってたんです。フェイクニュースなんですよ。だからそんなのを信じて、私が特区ビジネスコンサルティングとつながりがあって、さらに大学もおいしい思いをしていたという筋書きがあって、それで私の周りにも取材が来たんだけど、そもそも嘉悦大学はそんな申請はしたことないし、ない話をいろんなこと言われても困るんだけどどって言ってやった。彼は私のメルアドも知っているんだから、どう、ネット番組でガチンコ討論しませんかって問いかけたこともあるんですけれど、来ないわけです。資料を読めない人っていうのは、ネットのフェイク情報に飛びついて、ストーリーを作っちゃうんじゃないですか。

原　美容学校、漁業法以外にも高橋さんが言っていた嘉悦大学の話とか、他にもいろいろなことがあるかのように言っていたんですよ、最初の記事にもちょっと出てくる。何か怪しいことがたくさんありますという印象だけの記事になっているんです。

規制改革で買った恨み？

――いろいろとおかしなことの多い報道でしたが、原さんがターゲットにされたのはなぜなのでしょう。

原　規制改革に関わっていると、恨みを買うことは多いのです。

まず役所の規制所管省庁の人たちは全般に、私のことを面倒くさい、うるさいと思っていたでしょうね。私は国家戦略特区の委員と規制改革会議の委員と両方やっていて、規制改革委員の方はちょうどその夏が任期切れでした。そこで何とか外れてほしいと思っていたという人がいただろうことは想像に難くない。そして、実際に外れたわけです。

個別分野でいうと、『岩盤規制』で私が特に力を入れて取り組んできた規制改革の話を書いていますが、まあそこに書いたような話でしょう。特に警戒されていたのは例えば放送業界ですよ。私が放送改革を担当して、テレビ局は公共電波を利用している以上は経営情報をもっと開示すべきだとか、いろいろうるさいことを言っていました。まあ嫌だなと思う人はいたでしょうね。

もう一つは教育関係。加計問題も文科省だったし、そのあと今コロナ対応で課題になっている遠隔教育の話でも、文科省さんとはぶつかることが多かった。目障りではあったでしょう。

それから漁業ですね。漁業は国家戦略特区でやっていたのですが、漁業権の運用が不透明で、地元の漁協が利権を独り占めするような構図がままあるわけです。

たとえば養殖をやるときには、場所の権利を得て養殖事業をやるのですけど、その時に漁協が間に入ってきて、みかじめ料みたいのをとるケースがある。お金を払わないと養殖事業ができない。これは魚の種類にもよるんですが、県が養殖業者に許可を出しているはずなのに、なぜか漁協が入ってお金をとっているなんてケースがあるんですね。こんな不透明な運用はおかしいでしょうと議論していた。これは関係者からしたら、本当に嫌だったでしょうね。それで、毎日新聞の連続記事の中では、漁業関係者から「特区の運用が不透明でけしからん」なんてコメントが出てきます。不透明な運用を暴いたことの意趣返しかなと思ったりしましたね。

もちろん、誰に刺されたのかはわかりません。ただ、誰かがガセ情報を流さない限り、毎日新聞の記者さんだけででっち上げを創作することはできなかったと思います。

莫大な既得権側の利益は社会悪ではないのか

――規制改革に反対する人たちからの情報を新聞が報じ、それを野党が糾弾し、その動きをさらに新聞が報道するという、こうした構図についてどう考えればいいのでしょう。

高橋　マスコミの人たちというのは、どこかからチクられた情報を記事にしないと生きていけない人たちだろうから、まあ仕方がないのでしょうが……。昔は既得権側を規制改革側がやっつけるというときに、規制改革側の方からのリークでマスコミは書いていたんですけど、最近はそれが逆になって、既得権の側から情報をもらってやっているのかと思っただけですけどね。そういう風に考えると全部をすっきりと整合的に説明できる。でも、マスコミが社会的な公器を自任するんだったら、規制改革の方の情報でやったら社会的な正義は達成できるかもしれないけど、既得権の方からになっちゃったらまずいと思いますけどね。それじゃあ、ただ権力に利用されているだけじゃないですか。

原　何となく疑わしいって書けば十分なんです。これは、私は「新・鉄のトライアングル」と呼んでいるのですが、役所・業界団体、マスコミ、野党が一体になって既得権益を守る、新たな構造が生まれています。規制改革の推進勢力は政商、といった類の批判がばらまかれていますね。

高橋　この話ってね、要は政商がけしからん、規制改革派はけしからんっていうんですけど、既得権側の莫大な利益というのは絶対に隠して言わないんですよね。それがちょっとでも失われたらけしからんっていう、そういうロジックなんです。だから莫大な利益っていうのは社会悪のはずなんだけど、それには一切触れないで、ちょっとでも崩すと大変だと騒ぐ。海外、アメリカなんかだと、巨悪を崩すためには多少利益を与えなきゃまずいでしょ、というのが普通のロジックなんですけど、それがないの。だから毎日新聞さんも巨悪の方から便益を受けているんじゃないのと推測されても仕方がないと思う。

「疑わしい」だけで成功パターン

原　彼らは疑わしいという記事を出すのは、完全に成功パターンだと思っているわけですよ。毎日新聞のケースでも、あれだけの大誤報ですが決して失敗ではない。国会や野党ヒアリングで繰り返し取り上げられ、それなりに大きな問題にできたわけです。私が直ちに反撃したこともあったのか他紙が追随せず、本当に大きな問題には仕立てられませんでしたが、それでも小成功ケースでしょう。

大成功になったのはたとえば加計問題。本当に不正があったのか、何一つ証拠はなかった。それでも疑わしいとマスコミが報じ、国会で取り上げ、それをまたマスコミが報じるというサイクルが回り続けて大フィーバーを巻き起こした。森友に関しては、手続きの問題はあったけれども、首相がかかわったなんて証拠はなかった。これも疑いで記事を書くと国会で盛り上がって、世論も大騒ぎになった。成功パターンが出来上がってしまって、本当に事実があったのかなんてどうでもよくなったんじゃないかと思います。

今回のプロセスは裁判でやっているわけですけど、私から見ると不満だったことが大きく2つあります。１つ目が新聞協会ですよ。訴訟というのは時間もかかるしお金もかかるし、１００％勝ったって赤字になる可能性が高いですよね。最高裁まで行く可能性もあるし。で、結論が出た時にはいくら勝ちましたと言ったって誰も興味がない状態になってしまっていることが多い。

やはり社会に対する影響力、書かれたほうのダメージということで考えたら、新聞記事が出ちゃったことによって、何かあいつ怪しいとか、何かやったんじゃないかっていう印象が作られ、大損害を受けるわけです。

これを考えると、間違った報道がなされてしまった時にそれを迅速に検証して訂正するプロセスがあるべきです。それで、新聞協会宛てに質問状を出したんです。毎日新聞に対して訂正を求めているけれども全く対応してくれないので新聞協会として対応してほしい、と求めたんですが、それは新聞社個別の問題であって対応しません、という回答でした。

新聞協会は何のためにあるのか

原　これってほかの分野になぞらえて考えるとおかしいと思うんです。テレビだったらこの番組おかしいじゃないかというときには、最初はテレビ局に言いますが、それでも対応してくれないときにはＢＰＯ（放送倫理・番組向上機構）に行くという手立てがあるわけですよね。

別の分野で考えると、商品に欠陥があったときや、さまざまなサービスでトラブルがあったとき、まずはそのメーカーやサービス事業者に言うけれども、それでダメならば業界団体の窓口があるのがふつうです。例えば家電や自動車などの欠陥なら、業界に窓口があり、裁判外での紛争解決の仕組みまで用意している。これは、欠陥商品の責任そのものは各社ですが、業界として信頼性を高め、社会的責任を果たすためにやっているわけです。ところが、新聞業界では新聞協会がその役割を果たしていない。新聞各社が欠陥記事を出し、適切な事後対応のできていないときに、新聞協会は何もしないのです。それはおかしいんじゃないか。間違った記事を迅速に訂正する手立てがないのはおかしいというのがまず第一です。

そして、さらにひどいのが国会の話です。新聞が間違った記事を書いたときは、新聞社も新聞協会もダメでも、最後は訴訟という手立てが残されています。しかし、国会議員が間違った発言をしたときは、訴訟もできない。なぜならば、国会での発言には、憲法上の免責特権があるからです。国会の外では責任を問えませんでおしまい。

そこで、森ゆうこ議員の質問に対しては、だったら国会の中で責任を問うてくださいと言って、懲罰を求める請願を出しました。これは高橋さんにも大変お世話になって、一緒にネット署名を集めていただき、国会に請願を出したのですが、これも全然ダメでした。何でダメだったかというと、請願は全会一致でなければ受けられない、という国会の内部ルールがあるから。懲罰を要求される議員の会派が賛成するわけがないので、全会一致は決して成立しません。6万人以上のネット署名を集め、懲罰を求める請願を提出しましたが、結局、本会議で取り上げてもらうことさえなく門前払いだったわけです。その後、仕方ないので、森ゆうこ議員に対して訴訟を起こしました。これは、森議員の場合は国会の外でも、私の自宅住所をネットでさらすなどの問題行為があったので、その部分をとらえて提訴したものです。ただ、本丸の国会内の発言は訴訟の対象にできません。これは泣き寝入りするしかないのです。

国会は新聞よりひどい状態

原 これはあまり言わずにきたことですが、この際お話ししてしまいますと、問題は、虚偽をばらまいた一部野党議員だけではありません。国会を虚偽の誹謗中傷の聖域にしてきたのは、与党を含む国会全体です。森議員の懲罰を求めるネット署名運動を始めた際、マスコミ向けに記者会見をやりました。会見場を借り、事前告知も済ませ、準備がすべて整ったところで、やめろと電話してきた人がいた。ある役所の幹部ですよ。その人が「自民党の幹部が、会見などやって騒がれるのは迷惑なのでやめてほしいと言っている。なんとかやめてもらえないか」と連絡してきた。

びっくり仰天しましたね。政府・与党の人たちがどれだけ味方になってくれるかはわからないと思っていましたが、まさか妨害されるとは思わなかった。推測するにおそらく、与野党で国会対策の協議をする際に、私がコントロール不能な動きをしていると邪魔だったのでしょう。しかし、ともかく冗談じゃない。電話でその場で「自分の名誉の問題なので、やめません」と丁重にお断りし、そのまま会見をやりました。まあ伝言ゲームなので、自民党幹部なる人が本当になんと言ったのか、どういう意図だったのかはわかりません。ただ、これは、社会の常識とはおよそかけ離れた論理で動いている人たちなんだと思いましたね。

もちろん、自民党には、私のことを心配してサポートしてくれる、本当にありがたい方たちが少なからずいました。国民民主党にもいました。日本維新の会の方たちは、国会に請願を出すのを手伝って、それを通そうと最後まで手を尽くしてもいただきました。しかし、大勢はそうではなかった。国会の中で民間人の人権侵害がなされようが知ったことではない。国会議員には特権があるんだから下々のものが盾つくな、というのが請願への答えだったわけです。

ですから、国会は新聞よりも、もっとひどい状態。他人を貶めようと思ったら、虚偽でもなんでも言いたい放題。一般社会なら名誉毀損として犯罪になったり損害賠償請求を受けることでも、何ら咎められません。世の中で一番劣悪なフェイクニュース製造機関が国会、次にひどいのが新聞です。どれだけおかしなことを言っても、誰も止めないのです。

「国会での言いたい放題」への対応策はない

高橋　うーん、これをどうにかするには憲法改正しかないですね（笑）。免責特権って憲法に書いてあるということだろうからね。何とかしてほしいと思うけれども、憲法改正しなかったら、少なくとも国会議員を罰するのは無理ですよ。新聞の方は読む人がいなくなってくるから実害は少ないかもしれないけれども、国会はそうはいかないですよね。誰かがこの件で憲法改正って言ったら面白いと思うくらいです。あれ、完全に免責するように書いてありますからね。今はあたかもすべてＯＫのようになっているんですよ。国会の中なら、何を言ってもいいというのは、あまりにもひどい。まあ一応学説によるといろいろ違いがあるらしいけど。会社のＣＭを揶揄された高須クリニックの高須克弥さんが、あまりにもひどいんじゃないかと言って裁判したけど、全然勝てなかった。となると憲法改正しないと進まないですね。

原　私が起こした森議員の裁判も、判例百選に入るような重要判例になる可能性があると思いますけど、免責特権を争った裁判はこれまでもいくつかあります。１９８０年代に、野党議員が国会質問で、ある札幌の病院長が異常な人物だと国会で取り上げ、その方が翌日自殺した事件があった。ご遺族が裁判を起こして最高裁まで行ったけどダメだったのです。ここは法的に厳密には免責特権のほかに国家賠償法の壁もあって、普通に裁判やったってまず勝てない。高橋さんがおっしゃるように憲法改正しちゃうのが一番明確ですよ。意図的にとか、重大な過失があってウソ言っちゃったときには免責しないと書いておけばいい。

国会は与野党対決の場だから、与党も野党もそれぞれ、滅茶苦茶言い合うわけです。

それをいちいち懲罰とか訴訟とか言われるとたまらないので、ここはなあなあになっている。例外的なケースを除いて懲罰をやらないのもこのためです。懲罰を求める動議は国会で数多く出るんですけど、懲罰の決定に至ることはごくごくまれ。お互いにやり合ったら大変なことになるから、弾を撃ち合わないよう休戦協定になっているわけです。とはいえ、高須さんとか札幌の病院長とか今回の私とか、外の人が不当な攻撃をされたときに同じルールで扱われちゃたまらないと思いますね。

第6章　マスコミ報道に未来はあるのか

大学の設置認可権は内閣府にはない

――本来、政府や国会の怠慢や問題点を正す役割を担うべきマスコミの側も、毎日新聞の報道を見ると、相当の問題があるように感じますが。

高橋　まあ、これはマスコミの堕落といえば堕落ですけど、こちらはマスコミっておかしいじゃないのって書けるから、私にとってはすごくビジネスチャンスが広がってうれしいですよ。森友も加計もね、最初から実相はわかるからこちらは書くわけでしょ。加計問題なんて、原さんの前で言うのはちょっと申し訳ないけど、規制改革としては、本当に小さな話ですよ。大学は学部新設認可の申請をしてはいけないという文科省規制を取っ払って、申請自由という本来の形にしただけ。

文科省の学部設置認可権限には一切関係のない小さな話をしていたのに、あんな大騒ぎになっちゃって。望月衣塑子さんが書いた『新聞記者』という本を原案にした映画を観たら、大学の設置は内閣府がやることになっているって、全くフェイクニュースそのものです（笑）。

原　十数年前に規制改革の議論をやった時には、認可じゃなくて届け出制にするとか、もうちょっと踏み込んだ議論もしていたんですよ。それがとてもできなくなっちゃったんで、申請だけでもとりあえずさせて下さいって、それだけの話です。

高橋　愛媛県の元県知事の加戸守行さんは亡くなられたけど、「歪められた行政が正しくなった」と言ったのは全く正しい話でね。だって今まで、認可申請しちゃいけないという規制だったんですよ。そんなのあり得ないでしょう。

原　規制の仕方が似ているのは、インターネットでの薬の販売の話です。もともとインターネットで薬を売っちゃいけないとは法律のどこにも書いていなかったのに、厚労省が省令で禁止したんです。で、法律に基づかずに営業の自由を制約しているんだから憲法違反じゃないかという訴訟をやった人がいて、結局、厚労省は省令での規制はやめま

した。規制するならちゃんと法律に書き、国会審議を経て決めましょうということにな
った。加計問題も全く同じで、法律には何も書いてありません。告示で勝手に禁止にし
た話だから、訴訟でやったらおそらく勝つんですけどね。

新聞を堕落させる3点セット

高橋 マスコミ全般に関して言うと、私はダメなマスコミが好きなので、当分の間、ダ
メなままでいていただいても私の場合は不都合がないんですけどね。
　制度的な問題で言うと、マスコミというのは新聞が中心になっていますよね。で、新
聞社というのが伝統的なマスコミだったから、政府はこれにいろいろと制度的な恩典を
与えていて、日刊新聞紙法なんていうのはその最たるものです。もともとは共産主義勢
力に新聞社が乗っ取られては困るという意図で作ったんですけど、それに胡坐（あぐら）をかきす
ぎていて、コーポレートガバナンスが新聞社には絶対に効かないという、非常に面白い
状態になっちゃったんです。だって、コーポレートガバナンスというのは株主が代わっ
てそれによって経営者が追い出されちゃうかもしれないというのが一番のプレッシャー

なんですけど、新聞の場合は日刊新聞紙法で株式の譲渡制限があるから株主は絶対に代わらず、先祖代々の人しか株主にならない。だから新聞社の経営者というのは、世界で一番お気楽な人で、株主＝オーナーに取り入ったら絶対にクビにならないという非常に楽なパターンなんです。

新聞がそういう状況で、その新聞がテレビ局の株式を持つわけなんですけど、もともとガバナンスが効いていないところがテレビ局の株式を持つんですから、そっちのほうも効かなくなるのは当然の話。おまけに新聞は、値引きをしてはいけないという再販制度でも守られているわけです。これも新聞が与えられた恩典ですけど、最近ではついに消費税の軽減税率ももらってしまった。日刊新聞紙法と再販制度と軽減税率。この3点セットはすごいですよね。こういう特権を与えられた人は胡坐をかいてつぶれるというパターンにならざるをえない、と私には思えます。

ただ、それだけの恩典を新聞社に与えるメリットが社会にあるかというと、それはどうでしょう。原さんの事件も含めて誤報もしまくりですし、何が社会の公器ですかっていう感じですよね。

でも今後新聞にがんばれと言ったって無理としか私には思えないので、ネットという新しい技術による新興勢力に期待するわけですよ。現にそれは起こりつつあって、新聞がフェイクを流してくれるから私みたいなのがネットビジネスで儲かっちゃう。結果的には言論空間の場としてはネットのほうが結構大きくて、ネットでビジネスをしようとするとスポンサーがどんどんついてくるんですけど、そういうのを見ていたら、前は新聞とかテレビで働いていたんだけどもうやめますという人がどんどん増えている。ある意味新しい技術によってネットが出てきて、既存の新聞をはじめとする、ただ単に伝達手段を押さえているだけ、紙とか電波を押さえているだけの人が、今や劣勢に立っているという非常に面白い状況なんですよ。

だから私はマスコミへの提言は何もなくて、このままずーっと無為無策をし続けてくれというのが提言になっちゃう。ネットの方で自由な言論空間ができるし、新聞をネタにおちょくれるし、広告も新聞やテレビからネットにどんどん移って来ていますしね。まあ、どうせそのままなくなるだろうからと思っているだけです。

ホリエモン騒動でできたテレビ局防衛策

原　新聞もテレビも問題の根源は競争がなく、ガバナンスが効かないということに尽きる。新聞はまさに高橋さんが言われたようなことですよね。テレビ、放送についてはもうちょっとだけ補足すると、法律上の資本規制があるわけです。これはかつてのホリエモン騒動のときに、テレビ局を買収するんじゃないかというような話があって、当時買収防衛策みたいなことをいろいろとやっていたんですよね。で、そのあとのことをちゃんと認識している人はあまり多くはないのですが、実は買収防衛策がちゃんと制度化されていて、テレビのホールディング・カンパニーの株は3分の1以上持てないという規制が、集中排除原則の中で作られているんです。なので、いまテレビ局を買うことが実質的にはできない仕組みになっちゃっているんです。

その結果として、テレビ局の株を昔から保有していた新聞社さんが持ち続けるということになっているわけですね。ホリエモン騒動の後に、テレビ局を守るために作った規制なんです。

これはいろいろなところで書いているんですが、プロ野球であればかつては新聞と鉄道が主要なオーナーだったんだけれども、やはりその時々の勢いのある業態が入ってくる。オリックス、ソフトバンク、楽天、ＤｅＮＡと、勢いのある企業がどんどん参入し、球団経営とか球場経営など、新しい手法を導入してどんどん変わっていったわけですよね。しかし、テレビでは、それに相当する動きはありません。そこが問題の根源で、競争のないところに進化はなく、進化がなければ衰退していくでしょうね。高橋さんのおっしゃる通り、ネットにやられてしまうということになるのでしょう。

一方でアメリカなどの動きを見ると、ＡＴ＆Ｔとタイムワーナーが合併するとか、通信と放送をまたがった新しい業態を作っていく動きがあるのです。日本には全然ありません。たぶんこのまま放っておくと、新聞もテレビもダメになってネットメディアが取って代わるということになるのだろうと思います。

ネット上の分断をどう克服するか

原　で、その時にもう一つの問題として、世界中でずっと言われているのは、ネットの世界では分断が生じやすいこと。ネットでは、自分の指向、思想と同じような人たちで閉鎖的なグループを形成しやすい。サイバー・カスケードと言われるような、一定の方向性ができるとその方向に滝みたいに流れ込む現象が起こりやすいのです。

これは、ユーチューブの番組なんか見ても明らかにそうで、高橋さんの番組を一回見た人には、高橋さんの番組ばかりどんどん出てくるようになっている。ある一定の方向で番組を見始めると、そっちにばっかり流されるわけですよ。左側の番組を見たらずっと左側の番組を流されて、右も左もお互いに閉鎖集団になっていく。これはフェイクニュースの要因にもなります。閉鎖集団の中でデマが流れ、いつの間にか当たり前の共通認識になっていたりするわけです。トランプ現象とか、ブレグジットの時にも言われていたのは、両極に分かれた集団がお互いに嘘つきだって言い合っているだけということ。民主主義の機能不全が生じているんじゃないのかということでした。

日本の場合には、幸か不幸か地上波テレビが結構巨大な力を持っていて、まあこれはそもそも新聞とテレビがもともと一体で体力のあったこともある。特に高齢者への影響力はまだ相当程度残っている。このため、世界より若干遅れているかもしれないけれども、分断の問題は急速に進んでいる。それをどうするか。ネットに切り替えていった時のメディアの在り方は、たぶんルール設定として考えておかないといけないと思います。

社会正義の実現は一般人でもできる

――「分断」について高橋さんのお考えは？

高橋　私は旧来のメディアも頑張ってくださいと思っているんです。私もすべてのメディアがネットということになるとちょっと居心地が悪いから、旧来メディアもそれなりに意味があるんじゃないかなとは思っています。ほどほどのところで。ちょっとは規模も小さくなるでしょう。でもたとえば、テレビだと右の人と左の人を一緒に出したりするから、そういう点はいいんじゃないかなと。私なんかネットの方でやっているんですけれど、左の人を結構呼ぶけど来ないんですよね。さっきの話に出てきた毎日の記者なんかをお呼びして、一緒にやろうとしているんだけどなかなか来ない。この間もあるネット番組で何を希望しますかというので、私のことをツイッターでレイシスト、ファシスト扱いした石垣のりこさん（立憲民主党所属の参議院議員）としゃべりたいと言ったんですけれども、来ないんですよ。石垣さんの発言はネット上なので、裁判やれっていていう人もいるんですけれども、お金もかかるし裁判で争うような話じゃなくて一緒に話せばいいんじゃないのと私は思っているから、ネットで気楽に呼ぶわけです。でも来ないんですよ。

分断というのはネットの特性なのか？　確かに観るほうは自分で能動的に選ぶから、私が出ている番組はみんな観ている、という人はいるんですね。でも、出る知識人の人も分断されているような気がしてね、これはネットの限界と私は割り切っているんですけど。だからそれが限界だったら、旧来メディアもビジネスに結び付けて頑張れるんじゃないかなあと思ってますけど。

社会正義を実現するためのメディアがあってももちろんいいけど、そういうものは学者もやるし、一般人も含めていろいろな人がやればいいんで、既存のメディアだけがやるものじゃないんですよ。ネットだと、誰もがいろんな情報にアクセスして発信すればいいんでね。メディアという特殊な階層の人だけじゃなくて、誰でもできるじゃないですか。自分だけで資料を発掘して、こういうのがありましたと言ってもいいですしね。

原　私はジャーナリズムが存在していない問題も大きいと思います。日本の従来の新聞やテレビの記者さんたちって、多くの場合、失礼ながらジャーナリストではない。新聞社に入って記者クラブに入ってそこで情報をもらって記事にする人たちになっちゃっているわけです。自ら調査して批判的な目でチェックするという機能が元々弱かった。高橋さんが言われるみたいに誰でもできる話でもあるという面もあるけれども、やっぱり一定の方法論とか作法は必要。悪い意味での今までの新聞記者の作法ではなくて、ジャーナリズムの機能を果たすために必要な基礎を身につけるための教育機関が必要だと思います。

右も左も入れた言論空間を

高橋　今の、ジャーナリズムがどうのこうのというのは、私の感覚から言うと、海外のジャーナリストの方の印象なんですけど、一定の高度の教育というかね、日本は大卒で高度とされるんですが世界は全くそうではなくて、まあどこかの大学院卒ですよね。大学院を出てジャーナリストになるか研究者になるか、そういう感じですよ。日本のジャーナリストの人って素人でいいって平気で言うでしょ、取材で稼ぐとか。馬鹿な話で、知識がない人は取材したってわからないですよ。私が日本の新聞記者は誰でもできると言ったのはそういう皮肉の意味です。

大学でちゃんとした教育を受けて、あとは趣味でやってもいいし、大学の研究者になってもいいし。一定の教育が必要だっていうのは全くその通りなんですけど、日本のジャーナリストはほとんど無理だねという感じがいつもしていますけどね。だって色々話すときに、統計の読み方もわからないような人ばっかりですもん。私がいろいろなところで対数グラフを書いてあげたら、そんなもの書いたことがない。これは無理だなあと思いましたよ。研究者だったら一応そのくらいの基礎的な素養はあるんですけどねえ。

経済問題だけじゃなくて、今回のコロナだってそうですし。ジャーナリストと言ったって、多少自分の専門がないと意味がないんですけど、逆に何か専門がないのを売りにしてるじゃないですか。少なくとも一つくらい専門を作ればいいと思いますけどね。それは日本の教育そのものの問題かもしれないけど、それがジャーナリストにも出ていて、まあ結論を言っちゃうと日本のジャーナリズムは苦しくて、そのうちにダメでしょうねとしか言いようがありません。

だから日本のジャーナリストなんてこのまま死んでいくしかないんですけど、その中のごく一部の人はまともだから、そういう人が左も右も入れた言論空間みたいなものを作ればいい。そうすると希少性が出ますからね、それでそこそこにやればいいと。だから、ジャーナリストへの提言なんていらないから、おとなしくなってくれればいいということです。

新聞・テレビの労働環境は悪化

——マスコミ報道の現場の問題について、原さんはいかがでしょう。

原　今回のコロナの問題でも、正社員は保護されるが、フリーランスなど弱い立場の人たちほど苦境に追い込まれているという話があります。そうした人たちが多く働く典型例が、テレビの制作現場ですね。テレビ局の社員だけでなく、下請けの制作会社、フリーランスのディレクター、カメラマン、台本作家など、契約がどうなっているのかさっぱりわからない状態で一緒に働いている。そうすると、弱い人たちにしわ寄せがいきやすい。状態が悪くなればなるほど、弱い人にさらにしわ寄せがいくわけです。テレビ局で現場の労働環境が悪化しているのは、結局テレビの経営が徐々に苦しくなっているからですよ。

経営が悪くなると、現場のノウハウを持っている人たちに正当なお金を出せない。無茶なことばかり言って、弱い立場の人たちに厳しい仕事を押しつける。だから、ますます番組が劣化し、間違い報道も増えていく。テレビだけじゃなくて新聞もそうだと思いますよ。毎日新聞だって経営が苦しいので、調査報道に信念をもって取り組むと言いながら、実際には情報はネットで集めるとかせざるを得ないわけです。それで、ネットで情報を集めたところが、嘉悦大学のガセネタだったりする。報道が劣化するからますます経営が悪くなる。そんな悪循環に陥っています。

高橋　そういう時にね、私の周りの人は新聞とかテレビから逃げ出してますよ。それで、ネットで同じようなことをやっている。最近、私のところにネットの話がたくさん来るんですけど、もともとはテレビとか新聞でやっている人ばっかりですもん。

テレビと新聞にいたらもうじり貧確実じゃないですか。ネットでやることがうまく行くか行かないかなんてことは、誰にもわかりはしないけど、座して待つよりは、ぽんと出たほうが、可能性としてはまだあるでしょう。私の知っている人は結構長くテレビのプロデューサーやって大きな番組作っていたんですけど、もう先がないと言ってネットやってますよ。やっぱり面白いって。ついでに言うと、スポンサーが付きやすいんですって。案外、わかっている人はわかっているんじゃないんですか。だって考えてみると、ネットでやるのと新聞テレビでやるのとどこが違うかっていうと、コンテンツは同じなんですよ。

十数年前、竹中さんが総務大臣の時に、通信と放送の融合ってやったんですよ。その時はテレビの電波はネットオークションにするのがいいと思っていました。でもだんだん技術が変わってきて、ネットが出てきて電波のバリューは落ちた。テレビ業界は、私らが言っていた十数年前にオークションをやっていればなあって思います。その時はまだネットとかあまりなかったから、電波の価値が高かったわけです。あの時にオークションをしておけば高値で売れたんじゃないかと思っています。だからあの時にオークションに反対したテレビ局の経営者たちってやっぱり先を見る目がなかった。今はネットでできるから、お金をかけても電波をとろうという人は少なくなっていますよ。チャンネルは3つくらい持っていたから、2つ売って大儲けできたんじゃないですかね。残念ながら今はもう買う人も少ないと思いますよ。

ネットメディアへの政策的後押しを

原　アメリカはまさにその電波の帯域を売り払うっていうのをやっています。アメリカの場合はもともとケーブルが普及していますが、そこからさらにネットテレビへの移行が進んでいる。それで、地上波の帯域を逆オークションで買い取って、それを帯域を使いたい通信業者に売り渡すというのをやっているわけです。電波オークションなんてさっさとやったらよくて、こうした業態を超えた電波の有効活用を進めたら良いのですが、なかなか動いていません。

日本でも、テレビからネットへの移行は生じていますが、その動きはまだまだ遅い。これはなぜかというと、やっぱりテレビが元々強すぎるんですよ。寡占状態で新聞との一体体制がある。なおかつテレビ局はいい不動産とか資産をたくさん持っている。これはキー局だけじゃなくてローカルもみんなそうですよ。地元では突出した超優良企業ですから、いかにテレビは衰退方向といっても、経営的には成り立つわけですよね。

　成り立っているがゆえに続いちゃうことがよいことかどうか。かつて山一證券がつぶれた時に、そこにいた優秀な人材が別の会社に移って、また新たな世界で活躍したことがありました。現在のテレビでは、本来もっと新陳代謝があって、外の世界で活躍できる人たちがたくさん残っていると思います。一方で新しいネットの世界はまだビジネスモデルとして十分確立しきれていない。これは結局、テレビが元々強すぎて、ビジネスモデルも強力に組み立てられているから。古い勢力が過剰に強すぎて、新しい勢力が出てきてもとても太刀打ちできない状態になっているのです。

　で、それを考えたときに、政府とか政策の出番がある。こういう時は弱いほうに肩入れしてあげるという政策手法があります。通信の自由化を80年代にやったときは電電公社を分割し、新規事業者も自由に参入できるようにしました。しかし、ただ自由に参入できるようにしただけでは不十分なのです。ＮＴＴという強力なプレイヤーがいて、これまでの経験も人材も資産も全部持っている。新規参入者は到底勝負になりません。そこで、まだ弱い新規参入者に肩入れして、例えばＮＴＴの持っている通信網は開放して使わせてあげなきゃいけないことにした。また、非対称規制といいますが、ＮＴＴには厳しく新規参入者にはちょっと緩やかにする規制も入れた。これによって、実質的に競争ができるようになり、ＮＴＴグループ以外の通信事業者が参入してきたわけです。

メディアの世界でも同じように、実質的に競争を起こすための弱者支援が必要だと思います。一案をお話ししましょう。コロナは番組の作り方にも影響し、リモート出演、画質の劣る映像、ちょっとした音声のずれなどが当たり前に流れるようになりました。これまでのテレビの世界ではあり得なかったことです。その延長で、ネットメディアで新しい番組制作にチャレンジしている人たちに枠を提供し、番組を放送させてあげたらいい。そうして、旧来のテレビ業界と新しいネットメディアが同じ土俵で競争し切磋琢磨して、もっとよいメディアを作り上げていけばいいと思いますね。テレビ業界の優秀な人材、蓄積したノウハウ・経験を埋もれさせることなく、次の時代のメディアの創造に活かしていかないといけないと思います。

高橋　原さんの意見は政策担当者としてはまっとうです。私の意見なんかどちらかというと政策担当じゃなくて自分のビジネスから言っているから、なるべく政府は放っておいてくれたほうが自分のビジネスにとっては有利かなと。目先のビジネスのことを考えると、原さんの話とも似ちゃうんだけど、既得権を持つ人がダメなほど新規のビジネスはうまくいくんですよね。最初に動いた人は実は利益が大きいわけです。だから、政策的に言うとこういうのを進めなきゃいけないんだけど、私のビジネス的な感覚で言うと、こういう先駆者が増えると自分の利益が減っちゃうから、痛しかゆしなところがあります。だから追随者が来ないように放っておいてほしいということになっちゃうんです。ネット空間はおいしいビジネスですよ。

第7章　産業が丸ごとなくなる時代に

ベイシック・インカムと給付付き税額控除

――新型コロナウイルスの問題で、世の中は様変わりしました。コロナ後に向けた変革についてお伺いします。

原　緊急事態宣言以降は飲食、観光、エンターテインメントなど、特定の業種では完全に経済活動がストップする事態になりました。一方でインターネット業界なんかは活動が活発化して儲かり、大きな差が生じている。これは実は、コロナ以前から、早晩起こるんじゃないかと言われていたことに近い。第4次産業革命によってＡＩやビッグデータやロボットが出てくると、それに伴っていろんな産業や職種が丸ごとなくなることが起こるんじゃないかとずっと言われていたわけです。

で、今回のコロナの話というのは、まさにそういったことが先行的に起きたということだと思います。

こうした経済活動の一部ストップに対応して、今回のコロナに対しては一人10万円の給付がまずなされました。経済の危機的状況はしばらく続きますから、この後さらに追加されると思いますが、一人10万円というのはある意味ベイシック・インカム的です。生活を支えるための給付の先駆けみたいなものだと思います。それで、この先の議論は、所得を把握して、所得の少ない人、本当に困っている人にはより手厚く給付する制度設計が課題になると思います。それって、以前からずっと議論されてきた給付付き税額控除なわけですよね。

たぶんコロナ後の世界では、今回起きているようなことがまた違った形で繰り返される。で、それに向けた格差対策、社会の中で本当に困ってしまう人たちをどう支えていくのかという制度設計を、いま実験的にやらざるを得なくなっているのだと思っています。

様変わりする働き方改革

原　それから、働き方改革。安倍内閣で働き方改革をやってきましたが、これとはかなり異質の変革が必要になっていくと思います。これまでの働き方改革は、残業規制や高齢者雇用拡大などが中心でした。検察官の定年延長が大問題になりましたが、これもその一つです。検察庁法改正だけに焦点があたりましたが、これはもともと公務員の定年を60歳から65歳に引き上げる話が中心。定年と年金受給年齢にギャップがあることから公務員制度改革の論点としてずっとあったのですが、人生百年時代に向けて、そろそろ定年引き上げが必要だろうということになり法案を提出した。これは人手不足が前提で、だから公務員で先行して定年を引き上げ、さらに民間にも広げていこうとしていたわけです。

しかし、これはコロナで状況が全く変わりました。現状では、人手不足と正反対に、多くの人たちが仕事を失いつつある。当面しばらく、コロナ以前の完全雇用に近い状態には戻らないでしょう。だからこれまでとは全く違う働き方改革が必要と思います。

もともと産業、仕事が丸ごとなくなっちゃう未来が見込まれていたわけで、産業構造の大転換、その中で仕事を失う人も相当数出てくることを前提に、労働法制の転換をやっておかなければいけなかったんだけど、そこにはまだ手がついていない。当面は、新しい仕事につくための職業訓練、リカレント教育（社会人が教育機関に戻り学習すること）などを拡充していかないといけないと思います。

仕事のやり方は確実に変わる

高橋　こういう事態になって思ったのは、意外に仕事の仕方が変わってくるのかなあということ。この本だってこういうオンラインでの対談の形で進めてきたわけじゃないですか。最初に提案した時は、新潮社の編集の方に驚かれたけど、もう普通にやっている。こういうことができないと、これからの社会で生き残るのは大変かもしれないですよ。このくらいのことであれば、家の環境の問題はあるけれども、わざわざ会社に行かなくてもできますよ。実際に集まるのは結構大変ですからね。

今回わかったのは、こういう時にやり方がわからないとかいう人は結構多いということですね。リテラシー（読み書き能力）というか、できる人とできない人の差がずいぶんあるなという気がしてきちゃいますよね。今までITがどうのこうのと言ってきたのが、もう否応なくみんな組み込まれてきているわけでしょう。

　私が今いる教育の現場というのは、今まで対面だ対面だとさんざん言ってきたわけですけど、対面は今できないんですからね。うちの大学なんかでも最初、4月は休講になったわけですよ。で、5月からまた休講になっちゃったわけですね。となると5月中旬からは、もう遠隔教育ですよ。それをしなかったら、単位出せないんだもの。

　うちの大学には中国からの留学生が2割ちょっといるんですけど、日本に帰って来られない。そうすると、ネットだから中国人向けもやるんです。中国人は履修届も全部オンラインでやって、授業もオンラインですよ。そうしたら中国ってグレートファイアウォール（大規模検閲システム）というのがあって、引っかかるんですよ。ですから中国人向けの授業っていうのは、ウォールにかからないソフトも用意して結構大変なんです。こういうのもわかってきたんですけど、国によって国境を越えられるのか越えられないのかもはっきりしてきますよね。東南アジアの人は簡単。ファイアウォールがないからできちゃう。

で、大学教育もグローバルになっちゃって、これからは講義も公開しますね。そうなると先生の質が分かっていろいろ言われますよね。ネットというのは面白くて、最初はマスコミがネット社会でおびえていたんですけど、大学の先生もおびえなくちゃいけなくなっちゃったということです。

でも考えてみると、対面教育はどれだけ必要かということを考える、良い機会ですよね。さすがに文科省の役人も焦っちゃって、従来の大学教育では15コマやらないと1単位が取れないんですけど、もういろいろな特例措置がたくさんでています。あの文科省でさえ背に腹は替えられなくていろいろなことやっているんですものね。

「所得に応じた給付案」は倒閣運動

高橋　で、その関連で言うと、今回役所がダメというか情けなかったのは、やはりマイナンバーですね。海外だとマイナンバーをずっと前からやっているから、アメリカだとＳＳＮ（ソーシャル・セキュリティ・ナンバー）っていうのがあって、私がアメリカにいた２０００年のころはあんまり使い勝手が良くなかったんですけど、もう20年もたっているからだいぶ進化していて、SSNを取ったときにIRS（米国国税庁）の番号とリンクしていて、国税庁が銀行口座を要請するんですよ。そうすると今回のようにお金を配るとなったら、国税庁が口座を把握しているからすぐに銀行振り込みができる。昔はそういうのがなかったから政府小切手で撒いたわけだけど、今は銀行振り込みですね。日本なんてそんなのは全然できないわけでしょ。

なぜ今回のように、一人当たり10万円の給付金にしたかというと、所得捕捉ができないからですよ。所得に応じて各世帯に30万円支給という方法を一時は進めていたわけですけど、どの時点での所得で考えるかというと、今年の2月か3月になる。今年の2月か3月の所得が減っていたらという条件を付けなければならないんだけど、これが役所にわかるのは来年の6月。だから1世帯30万円の話なんて、絶対に制度的にはできないんです。やったらどうなるかというと、不公平とか、言い値申告というやつになっちゃって、窓口が大混乱するんですよ。だから1世帯30万円というやり方は、やったら苦情が山ほどくることが予想できるんで、私はあの話が出てきたときは倒閣運動だと思いました。安倍政権をつぶすためのね。あんなのをやっていたら、あの人はごまかしているとか苦情が殺到するんですよ。しかもごまかしているかどうかをすぐにはチェックできない。もしマイナンバーと確定申告のデータと銀行口座がリンクすれば、非常に簡単なんですけどね。

こういう時にはＩＴに強いか弱いかで個人にも役所にも差が出ます。大阪とか横浜とか札幌、名古屋とかは、相手にする人数が多いからけっこう対応が遅い。でも、だんだんフェアな、合理的な社会に近づいていくと思いますよ。

医者なんかもさ、これは原さんが詳しいと思いますけど、昔インフルエンザの時にオンライン診療をやろうとして結局普及しなかったんですけど、こんな状況にあると、オンライン診療はいま特例としてやっているんだけど、特例ではなくなるんじゃないですか。今はソーシャルディスタンスを取ったりしているんだから、オンラインで十分な時もありますよ。

このオンラインの話というのは、昔なかなかできなくてテレワークなんかもできなかったけど、やってみたら結構大丈夫じゃないの、会議なんかもこれでいいんじゃないのと思うようになるんじゃないですかねえ。実は会議って唾を飛ばすだけで意味がないっていうことがわかってきたんじゃないの。こういうのがわかるっていうのはいいことですね。

労働法制については、私は大学教員でそもそも裁量労働の人だからこういう状況にあっても別に何も変わらないんですけど、今までは授業があったから1週間に1回は行かなければいけなかったの。それが今ゼロになりました。それでも支障は全くありませんね。裁量労働の最たるもので、うちで何時間働いたって何の関係もないよね。だから1日何時間働いたっていうのは意味がなくなってくるんですけど、テレワークになってくるとそういうのは本当に意味がないとわかりますね。テレビ会議に出ながら、座っている椅子に電動のマッサージ機械をつけていて、マッサージを受けながらテレビ会議をやったっていいですしね。

あぶり出される「必要なかった仕事」

原　高橋さんの話の続きで言うと、リモートで仕事をしてみたら、いろいろなことがわかってきた。実は無駄な会議ばっかりやっていたことがわかった。無駄な出張が多かったこともわかった。そんなことがどんどん出てきたわけです。その結果何が起こるかっていうと、これまでちゃんと仕事の成果を出していた人は、別にこれまでと同じ、今までとやっていることは変わらないよ、とさっき高橋さんが言っていたとおりなのです。問題は、これまで何となく会議に出て、オフィスの席に座って仕事をしている体裁を整えていた人たちです。実はあの人は何もやっていなかったんじゃないか、とコロナ騒動でわかってしまった。さらに、ＡＩやロボットで代替できる仕事もこれでわかりやすくなりました。実は必要なかった仕事がこれから大量にあぶり出されていきます。だから、さっきのリカレント教育の話は重要。これまでのように雇用調整助成金を出してつないでおけばそのうち解消できるなんて問題ではない。

あとは仕事の成果に応じた働き方への転換です。この話は、以前からホワイトカラー・エグゼンプション（高度専門職などのホワイトカラー労働者の労働時間規制適用除外）なんかの議論がありましたが、議論が出てくるたびに、残業代を払わないめちゃちゃな制度だなんて反対が出て、なかなか進まなかった。しかし、これもコロナで変えざるを得ないところにきちゃった。リモートワークをしていたら、時間管理なんかしてもしょうがないわけです。会社によっては、パソコンの前に一日何時間座っていたかを調べるところもあるようですが、これはもうみんなそんなことに意味がないとわかってしまいました。結局は仕事でどんな成果を出すかで評価するのが最もフェアで、そちらに移行せざるを得なくなるわけです。そうすると、これまでの働き方改革での残業規制の話なんかももう一回見直していく必要が生じるでしょう。

高橋　ホワイトカラー・エグゼンプションは今までなかなか進みませんでしたが、今回リモートワークが増えたことで、初めて切実に意味がわかったんじゃないですかね。

縦割り行政にも変化が

原　産業が丸ごとなくなってしまうことが、これからは否応なく起きてきます。そうすると、それにもっとも当てはまらないのが、これまでの縦割りの業規制です。日本の場合は、業界団体と役所がくっついて、縦割り規制が特異に強固でした。具体例では、たとえばタクシーという業種はコロナ禍では厳しい業種になっちゃったわけです。どこに行っても空車が多い。それで何をやっているかというと、国交省もさすがにそこは手を打って、食事のデリバリー・サービスには使っていいですよとしました。

　これはもともとどうなっていたかというと、人を運ぶ旅客運送事業と、貨物を運ぶ貨物運送事業はそれぞれ違う縦割りになっていて、別の業法でカバーされていたんです。その裏側には全部縦割りの業界団体があって、業界団体の既得権を守るために、タクシーが荷物を運ぶなんて絶対許さないとか、逆に貨物を運ぶ車両が人を運ぶなんて絶対に許さないとか、縄張りを作ってやってきていた。しかし、これから産業構造が大きく変わっていく時代では、そういうことをやっていると変化についていけない。現実の世界では、縦割りを壊して新しい業態を作り、新しい時代に対応できるよう生まれ変わっていくわけです。その小さな一例が、さっきのタクシーがデリバリーをする話。これからは、こうした縦割り業界を超えた転換がもっと大きな規模で起きていくはずで、行政もこれを妨げないようにしないといけません。

規制はどんどんなくなってきている

高橋　そういう縄張りはそれぞれの役所にみんなあるんです。でも、財務省だって、金融は縦割りになっていたんだけど、もう今や縦割りも何もないんですよ。三菱ＵＦＪフィナンシャル・グループってあるでしょう。そこに銀行も証券もみんなあるじゃないですか。無理にホールディング・カンパニーの下に色々なものを作るということをしていて、実は少し縦割りが残っているんだけど、そういうのがある一方、もう金融機関自体がいらなくなってきちゃっていて、銀行員なんて大量に余っているんですよ。もう支店もいらないというような話。一応、情報サービスという観念が残っているんですけど、いざフィンテック（ファイナンス・テクノロジーの略。ＩＣＴ〈情報通信技術〉を駆使した金融商品・サービス）をやろうと思ったら、今いる人たちはそういうことは全然できません。新しい業種と一緒になってやるしかないですから、そういうところとジョイントするというようなことをやっているわけです。そうすると業規制なんていうものは全くなくなっちゃっていますよ。で、なくなってもあまり支障はないんですけどね。刑法みたいな最低ラインがあれば結構回っていて、業規制もほとんど意味がなくなってきちゃいました。昔は金融業界の業規制というのは店舗規制です。でも今はそういう規制は全くないし、そもそも金融機関自体がないし、グループで一緒になってやってて、業規制は何やっているのかさっぱりわからないし、既に崩壊しちゃっているんですよ。
　つまり、縦割りというのは全く意味がないというのが露骨にわかってしまう事態になっちゃったということじゃないんですか。大学なんかだとまだ縦割りが残っていますね。相変わらず文科省が指導するものね。でも風前の灯でしょうね。

原　規制改革での議論でいうと、金融の世界なんかは実態として縦割りは全く意味がなくなっていたんだけど、規制ではつまらないやつが残っていたんですよ。たとえば送金業務は原則銀行しかやってはいけなくて、フィンテックの新しい業者は１００万円までだったらいいけど、それよりも大きい額は銀行じゃなきゃダメだとか。つまらない縄張りがコロナ後は吹っ飛んで、縦割り規制をなくす方向に動いていくんじゃないかと思いますけどね。
　だからこの先変わっていくことを見越した制度にしていかなければいけません。オンライン診療とかオンライン教育もそうなんですけど、今役所の人たちは、全部コロナ時だけの特例措置だと言っているわけです。今でもこれまで通り縦割りの世界で予定調和で物事が進んでいく前提で考えているから、数カ月でコロナを乗り切れば元に戻るとみんな考えているんです。それを切り替えないと変革のチャンスを逃し、世界からは一周か二周遅れてしまうでしょうね。

業規制から行為規制へ

高橋　これは刺激的に言うと、業規制はなくなる、で何が残るのかというと、行為規制しか残らないということだと思いますね。何が違うかっていうと、業種や会社などに着目した規制というのは難しいですね。ただし、ウソついちゃいけないとか、こういうことをするときにこういうことをしてはいけないとか、何か常識的な行為を規制するのは残るかもしれない。だから体系が違って、会社を認可してそこでいろいろと厳しい規制をするというのが業規制なんですけど、そうじゃなくて、誰でもそれをやっていいんだけど、なんか変な行為をした時には取り締まりますよという、何かそういう感じの規制は残るかもしれない。刑法のような感じになるんですけど。そういう風になるんじゃないですかね。そうじゃないと対応できないですよね。色々な変化に。

原　私も全くそうだと思うんです。それで、規制改革の議論で言うと、業規制と行為規制の問題はずっとあって、業規制の必要性はずっと問われてきました。いろいろな領域でありますが、例えばタクシーとライドシェアの議論です。一般の人が乗りたい人を乗っけて走るのが何でダメかというと、それはタクシーじゃないからやってはいけませんということなのです。タクシー会社は、国交省から事業の許可を受けて信頼できる人がやっていて、国交省の監督のもとにいろいろな規制を受けている。だから安心安全なんです、という論理。これが業規制の考え方です。少し前（第3章）でお話しした、「証券会社なら信頼できる」と同じ論理です。

それに対して、安全を守りたいのだったら、会社が特別な許可を受けているかどうかよりも、安全を守るために必要な行為を抽出してルール化したらいい。点検とか、乗る前のアルコールチェックとか。必要なら運転手さんに研修したらいい。こうした議論をずっとやってきたんですが、これが行為規制の考え方です。

でも、さっきみたいな、タクシーでデリバリーもやりますみたいな話が広がっていくと、業規制の世界じゃなくなっちゃうわけですよ。会社が許可を受けているかどうかではなくて、とにかく安全を守ることが重要。安全を守れるためのルールをきちんと作って、その遵守をどう確保するかに規制対応をシフトしていけばいいわけです。今はおのずとそちらに向かっていかざるを得なくなってきていると思います。

外国人政策のインチキを正せ

原　次に、外国人政策はこれからまた大きく変わらざるを得ないでしょうね。日本の外国人受け入れ政策はずっとインチキなものでした。日本政府は建前では、高度な外国人を受け入れる、単純労働の外国人は受け入れないと説明してきました。でもこれは嘘で、高度な外国人は人数はごくわずか、逆に単純労働の人は優先的にどんどん受け入れてきました。建前では単純労働者とは言っていないんだけれど、ここ数年間、急速に増えた外国人労働者の大半は、一つはアルバイトの留学生。実質的には相当時間アルバイトをやっている人たち。そしてもう一つが技能実習生。技能実習生というのは、建前上はODA（経済協力）で外国人に技術を教えるという仕組みなんだけど、実質的には安い労働力を使う仕組みとして使われてきました。２０１８年の法改正で特定技能という新しい仕組みを作って受け入れを拡大したわけですが、これはまだ中途半端な制度で、単純労働の外国人受け入れ政策を置き換えるところまではいっていませんでした。

この先に何が起きるかというと、非常に難しい。ただ、少なくともこれまでの外国人政策のままではやっていけないことは間違いないですね。いまは世界的に国境の壁を高くして外国人を受け入れないことが世界標準です。ただ、これは日本にとってはチャンスになる可能性もあるのかもしれない。日本はこれまで世界の人材獲得競争に出遅れていました。しかし、ここでいち早くコロナと共存できる環境・仕組みを整えられれば、人材獲得競争で一気に先頭に出られる可能性もなくはありません。

一方で、今まで受け入れていた安い労働力は、たぶんおのずと必要性が低下していく。コロナ後はおそらく、これまでの人手不足社会とは違う状況が続くでしょう。技能実習のあり方なども変わっていくと思います。

例えば農業では、そういう流れにならざるを得なくなっています。農業の現場はこれまで技能実習生の力で相当程度やってきているところがありましたが、3月から全然人が入って来られなくなった。そこで、仕方ないから国内で代わりに人材を募集したら、大勢来てくれてなんとかなっているなんてことが起きている。それでも足りなければ、この先は、無人トラクターを入れたり、ドローンで肥料散布したり、センサーとＡＩで作物の状況を管理したり、といった農業の進化にもつながっていくでしょう。

世界中が内向き傾向に

高橋　以前は、一般的にはグローバリゼーションという形で人の移動が活発化していて非常に自由だったわけです。でも、たぶんこういう感染症の話になると、そのあとはヨーロッパのシェンゲン協定みたいにできるだけ人の移動を自由にという話は、ちょっとやりづらくなりますよね。結果的に中国人を受け入れたところが、ものすごく感染が広がってしまったわけです。こういうのがあるとブロック化といって、デカップリングともいうんだけど、それぞれの国が内向きになるんですよ。これは体験に基づいているから、一度嫌な体験をすると人の気持ちというのはそういう風になっちゃう。だからこの内向きの傾向というのは、ある程度所与のものとして受け入れたほうがいいと思いますね。世界的に、なるべく自国の人だけでやろうということに当分なるんじゃないですかね。

そういう風になったときには、当然外国人に頼っていたところは無理なんで、自国民でやることになる。もともと外国人を安価に引き入れていて、それが賃金の上昇につながっていなかったというのを私は指摘していたほうだから、それはそれで、いいか悪いかはちょっと判断が難しいんだけど、結果的には世界それぞれがブロック化すると仕方がない話だから、それに乗ってやると。日本人の雇用もある程度確保できると考えると、それはそれでいいことにもなるのかなと思いますね。

中国人があれだけ外に行かなければこんなにひどいことにならなかったと、みんな思っていますよね。日本にだって旧正月に90万人も来なければね。来なければ別に大した話じゃなかったでしょう。世界で人的交流がこれほどなければ、コロナの話も武漢の近くの風土病で終わっていた話でしょう。ただ、人がすごく簡単に移動ができちゃったことが大問題になってしまったわけです。とすると結果的にこれはトラウマみたいになるから、なるべく外国人は少なくするという動きになるのは仕方がないですよ。だからその中で日本は考えたほうがいいでしょうね。

高度人材はできれば来てくれたほうがいいけど、どのくらい払えるかという問題でしょう。明治期に高度人材を外国から取ったときと同じようなことができるかできないか。それはすごく高い金を払えば来ると思いますよ。

47都道府県は多すぎる

原　今回のコロナの対応で明らかになったのは、住む都道府県によって安心できるかどうかが全く違うことです。例えば大阪の吉村洋文知事は、医療体制を整え、軽症者の受け入れホテルやコロナ専門病院などをいち早く準備し、自粛解除基準は大阪モデルを作り、あらゆる面で迅速に対応し、府民に対しても情報開示をしっかり行っている。これに対して県によってはまったくなっていないところもあります。こういう緊急時なので目に見えましたが、実は平時だって同じです。知事によって仕事している人としていない人がいたんだ、とはっきりわかってしまいました。

また、もうひとつ明らかになったのは、国と自治体の関係がよくわからないこと。国の役割と都道府県知事の役割が非常にわかりにくく、いびつな関係になっていることもわかりました。

本来は、現場の知事さんたちにもっと権限を与えて、知事の責任でやってもらえばいいのです。特に大阪の人は、そう思っている人が多いんじゃないですかね。ただ、そこで出てくる問題は、ちゃんとやっていない知事のところはどうするのか。そのまま見捨てるのか、という話です。地方分権の議論がなかなか進まない最大の理由は、実はここです。ダメな知事もいるから、やはり国が一定の権限を持っていないといけない。ちゃんとやれる知事にも権限を任せないのです。結果として生まれてきたのが、国と自治体の間の不明瞭でいびつな関係でした。

それで、結論からいうと、道州制にしたらいいと思いますよ。やっぱり47都道府県って、数が多すぎるわけです。どういう知事を選ぶかがどれだけ重要なことか、少なくとも今まではそんなにわかっていなかった。だから、残念ながら玉石混交になってしまうのです。道州制で日本全体を7つか8つにして、道州の知事にはしっかり権限と責任を与える。国民も、道州の知事がいざというときには自分たちの生死を分かつことを認識して、しっかりと選挙権を行使しないといけません。道州制の議論も何十年もやってきてなかなか動かなかったんだけれども、ようやく動き出すきっかけができたと思います。

道州制で7つか8つに

高橋　私から見ると、都道府県知事でまともな人っていうのは、北海道の鈴木直道知事。全国に先駆けて最初に対策をきちんと取っていた。そのあとに東京の小池百合子知事を見ていたら、まあ何言っているのかわからないんですよね。でもあの小池さんですら、何かやろうとしたら国と調整しないといけない、私は単なる中間管理職ですからってはっきり言ったんです。これはまずいですよね。アメリカだったら州知事がみんなやるわけですよ。今回の日本の法制だと、総合調整すると言って経済再生担当の西村康稔大臣がやるんですけど、調整ばかりで実質的な話はなかなかできない。話をするだけでも時間が大変だし、役割分担もはっきりしないし、総合調整といっても、日本文化の最たるものがあの法律（新型インフルエンザ等対策特別措置法）になっているんですけどね。誰もがみんな無責任じゃないかという、とんでもないレベルの法律ですよね。

小池さんに言わせると自分が全部任されているわけじゃないからだって言うんですけど、そこも一理はあるんでしょうね。でも任されていないと思われる大阪の吉村さんなんかはバシッとやるわけですね。そうすると国のほうがやっかみを抱いちゃって、吉村さんが自粛解除の節目として言った5月15日の前の14日に専門家会議を開く設定になっちゃったんですよ。吉村さんが示した解除基準はダントツにまっとうだし、あれはもう世界レベルなんでしょうね。すぐわかりますよね。でも、もっとひどいと思ったのは大都市圏では愛知なんです。もう無茶苦茶ですよ。最終的には休業補償しましたが、当初は休業補償しないとしていました。これはもう無能の典型だとわかったっていうことでしょうね。

よくよく考えてみたら確かに道州制で全国を7つか8つにしたって、そのうちの2つか3つはまともになるかもしれないけど、残りはダメかもしれない。でも、全体が47でまともなのが1つか2つしかないというよりはいいということでしょうね。まあダメなところは民主主義で、選挙で知事を落っことすんでしょう。アメリカの州知事もそうですよ。いい州と悪い州があって大変ですよ。知事選挙やったら落っこちる人はいるでしょう。これが民主主義ですよね。

あと感染症みたいな話というのは、県だけではできないことが多いし、たとえば大阪が3月の三連休の前に移動禁止しようとしたら兵庫県の知事ともめちゃったじゃないですか。道州制だったら兵庫と大阪は一つだから、ぱっとできる。都道府県の範囲が狭すぎるというのは、ものすごくはっきりしちゃったわけじゃないですか。関東でも東京から茨城は来ちゃいけないとかわけのわからない話があったけど、これでいいのか。だからやっぱりこれだけモータリゼーションが発達しているし、感染症対策など行政単位として都道府県は狭すぎるのでうまく対応できないということなんでしょう。そういうことは今回のウイルスでよくわかったんじゃないですか。やはり7つか8つに分けてやったほうが、よりまともになるかもしれません。

いま各都道府県知事が毎日のように会見しているんですけど、会見見ていてもしっかりしていない人もたくさんいますよね。公衆衛生というのは地方自治体の基本業務ですよ。県でやるのはちょっと狭すぎると思いますね。地域差もあって、中国・山陰は近畿とえらい差がある。人が来ないから、そこは東北も同じ。それはある程度、東北みたいにまとまっていたらそこで規制するのは意味があるけれど、それを関東まで入れるというのは無理でしょう。やはり全国一律はできない。より良い行政をしようと思ったら道州制ということになるでしょうね。

注目すべき熊本市の遠隔教育

原　文科省は遠隔教育の話は一応認めたけど、そのあとあまり進んでいません。これは無理もないところがあって、学校の現場の先生たちからしたら、他にもいろいろやらなければならないことがあるし、大問題は、やはり彼らは平等にやってあげないといけないですよね。大学生だったらさすがにみんなパソコン持っているんだけど、小学校ですべての家庭でパソコン使えますかっていうとそうではない。一部の子供は授業が受けられるけれども、一部の家庭は受けられませんとなったらダメなので、みんな腰が引けてしまう状況です。

地域によっては頑張ってやっているところがあります。先ほども少しお話しした通り、例えば熊本市は4月の緊急事態宣言のあとすぐに、市内の全小中学校でオンライン授業を始めました（第2章参照）。熊本市の教育長さんは元文科省にいた人で、退職して民間で仕事をやった後に今は熊本市の教育長になっているんです。彼は、生徒たちの家庭を全部調査して、パソコンが使えない家には、学校にあるパソコンをかき集めて配って授業を受けられるようにしたんですね。こういうふうにリーダーシップをもってやろうとする教育委員会があれば、本当はやれるんです。

それから彼らがやったことでもう一つ素晴らしいのは、熊本の民放4局・NHKと一緒になって授業番組を作ったんですね。3月はずっと学校がやっていなかったから、それぞれの学年で、その間のやっていない授業の単元があります。その補習授業をやってあげるために番組を共同で作ってテレビのサブチャンネルで流した。今はデジタル放送なので、本当は一つのチャンネルで番組を2つか3つ分けて流せるんです。NHKやEテレはたまにサブチャンネルも使っています。それを使って、通常の番組は通常の番組で流しながら、サブチャンネルにすると熊本の学校の先生が出てきて授業をするというのをやってあげている。これは本当に素晴らしいです。僕がずっと言っているのは、こういう熊本市みたいな素晴らしい業績を全国に紹介してあげてみんなに真似できるようにしたらいい。それが、大マスコミのやるべきことなんですよ。ところが残念ながら全然ダメで、毎日新聞なんかは、オンライン授業は進みっこないから省いてもよい単元を文科省が早急に決めるべきだとか、最悪の提言を社説で書いたりしているわけです。

情報検証研究所を発足

――そんなマスコミの惨状に一石を投じるという意味もあり、原さんは情報検証研究所を発足させました。

原　ここ数年、マスコミがどんどん力を失っていって、ネットメディアが強くなってきました。ネットメディアにどんどん切り替わっていくのはいいのですが、一方で、ネットメディアの大きな問題というのは分極化の問題です。閉鎖集団でどんどん極端な方向に走っていくことが起きやすい。その一例が、コロナ禍でのＰＣＲ検査論争です。拡大論と抑制論に二分して、双方でフェイクニュースが飛び交っている。

両極の間で認識が全く違って、そもそも議論が成り立たないというのが、コロナ以前から起きていた問題です。ブレグジットが一例ですが、世界中で、社会の分断、民主主義の機能不全が問題になってきました。これを乗り越えるためには、事実に基づいて議論のできる環境をもういちど作り直す必要があるのです。

これを本来やるべき人たちは、テレビかもしれません。放送法4条では、事実に基づく中立公正な放送をやらなければいけないことになっている。法律上、そういう役割を求められているわけです。しかし、残念ながら今はその機能を果たせていない。なぜかというと、やはり極論に走ったほうが視聴率がとりやすいからです。ビジネスモデル上の限界があって、どうしても極論に走ってしまうことが多く、結果として、多くの人たちはもうテレビを見切ってしまっているわけです。それでは新聞ができるかというと、これも6章でお話ししたとおりに全くダメです。事実に基づく検証を担う人たちが、実はしっかりと存在していない。そこで、そういう機能を作り上げないといけないと考え、情報検証研究所を立ち上げました。高橋さんにもサポーターになっていただいて、4月末にスタートしたわけです。

マスコミによるフィルタリングという幻想

高橋　私なんかはファクトを押さえるのが当たり前だと思っているんですけど、マスコミの人というのはそういう教育を受けたことがないから、論文すら読めないっていう感じですよね。だからファクトに基づいてやるのが当たり前と思っている人から見ると、何でこんな当たり前のこと言うのかな、でもある意味ではビジネスチャンスにもなっているのかな、というくらいにしか思っていませんよ。マスコミの人がずーっと変な報道をしてくれたり、ネットで変な話が出てくるのは、チャンスですよ。私は右のほうに分類されているんですけど、まあそんなことは関係なくて、それは単なるファクトに基づいて言っているだけなんですけどね。

今まではマスコミがフィルタリングしてくれるからリテラシーがなくてもいいという幻想のようなものがあったのに、それが幻想だということが今はばれてきちゃったということなんじゃないですか。マスコミはまともにフィルタリングの役目も果たしていなくて、テレビ朝日は玉川徹さんの問題だけじゃなくて、ベルギーから帰ってきた医者はPCR検査をあまりお薦めしない、全部ガンガンやるような話じゃないと言っていたのに、それを全部切っちゃって報道するという「切り取り」をやっていた。だから最初っから出来レースなんですよね。でもそれはねえ、マスコミの報道なんて、はっきり言ってみんなこんなもんですよ。実は役所の方だっていろいろなリークするとき、わざとそういうふうに報道させるようにやるもの。

そういう意味で最近よくなってきたのは、取材の内幕を全部フェイスブックで言っちゃうのができるようになったことですよ。だから原さんが言うように両極端になるんですけど、ネットの話で、その真ん中でばらすようなことができるようになったのは、これはこれでいいことですよ。ばらされちゃったほうの人は大変だろうけどね。

おわりに

高橋洋一さんと最初に接点ができたのはちょうど30年前の1990年だった。私は通産省に入省2年目の下っ端で、商品先物の担当部署に配属されていた。高橋さんは大蔵省証券局の課長補佐。役所の課長補佐というと今では下っ端扱いだが、当時はもっと実権があった。特に高橋さんの場合は、証券行政を実質的に仕切っているのが外からみても明らかだった。接点ができたのは、対談でもお話しした「商品ファンド」事件。これを巡って、当時は高橋さんは〝敵〟の中心人物だった。その後こうして本を一緒に出すようになるとは、当時は思いもよらなかった。

対談の中ではつい、私が新規参入者の味方、高橋さんが既得権益の味方だったかのように自己正当化してしまった。高橋さんを悪辣な守旧派扱いして、申し訳ない。正しく説明し直すと、それは一つの側面でしかない。「商品ファンド」事件のもうひとつの側面は、当時の霞が関で盛んだった「権限争議」の一つだったことだ。

「権限争議」とは、役所間の縄張り争いだ。証券業、銀行業、家電産業、繊維産業といった古い産業なら所管の役所は確定しているが、新しい業態や隙間産業が出てくると、どこの所管か争いが生じる。当時の霞が関の各省は、その取り合いを省をあげて必死でやっていた。例えば有名なのは情報産業を巡る通産省vs.郵政省の大戦争だが、ほかにも無数の中戦争や小競り合いがあった。

役所に入って間もない私には、なんだか不思議なことだった。縄張り争いなんて子どもじみたことだし、そんなことをして日本全体に何の利益があるのかよくわからない。それなのに尊敬すべき先輩たちが徹夜で頑張って、最後は局長間で折衝したりしている。解せないことだった。

そんなとき、隣の課に超優秀な先輩がいて（その後、早くに役所を離れて大活躍している方だが、お名前は伏せておく）、こう教えてくれた。

「仕事の成否は、局長たち幹部を味方につけられるかどうかで決まる。そのためには秘訣がある。政策プランの中に『権限拡大』（新たな所管業界の獲得）と『団体』（新たな業界団体の設立）という要素を混ぜておくんだ。そうすれば、局長たちはその政策を本気で応援してくれる。なぜだかわかるか？」

それですべて氷解した。要するに、「権限争議」の本質は、天下りポストの新規開拓。だから、天下り間近の大幹部たちにとって重大関心事であり、賢い若手たちはそれを見抜いて上手に利用していたのだ。

当時の私は、有難く助言に従った。「新規参入容認、競争促進」という政策に、商品ファンド業の所管という「権限拡大」と「団体」を塗りたくり、役所内で味方を増やして、通産省vs.大蔵省の権限争議に突入していった。〝秘訣〟がいかに有効かはよくわかったが、その一方で、「役所の縦割り」や「天下り」といった仕組みへの違和感はふくらむばかりだった。

それから十数年のときを経て、高橋さんと再び出会ったのは２００６年、第１次安倍内閣のときだ。経産省の先輩の古賀茂明さんから声をかけられて行政改革大臣補佐官を務めることになり、そこで、首相官邸で政策実務の司令塔的役割を果たしていた高橋さんと再会した。当時一緒に取り組んだのが公務員制度改革。「天下り」規制や「役所の縦割り」への対処だった。その後は役所を離れ、高橋さんが会長、私が社長で「政策工房」を立ち上げ、行財政改革、規制改革など、国の根幹となるシステム改革に取り組んできた。

そして、また十数年が経って、この本を出すことになった。高橋さんとは一緒に会社を運営しているが、実はそんなに顔を合わせることがない。以前からずっとそれぞれリモートワークで、通常は必要最小限の業務連絡ぐらいしかしていない。今回、コロナ緊急事態のなかでのオンライン対談だったが、ともかく長時間話し合ったのは久しぶりのことだった。

こうしてお話ししてみて、改めて気づくこと、今後の課題を考え直すことがいくつもあった。敢えて私なりに乱暴にまとめると、この対談で話したことには2つの塊がある。

一つ目は、日本国のシステムの弱点が、コロナ危機であらわになったことだ。

第一章でお話ししたように、コロナ危機では、官邸主導の危機対応が残念ながら十分機能していない。縦割りを打破し、必要なときに官邸主導で政策を進める仕組みの整備は、90年代から進めてきたはずだった。一歩ずつ前進し内閣人事局の創設などにもこぎつけた。しかし、その後、モリカケなどで「官邸主導」批判が巻き起こった。批判の裏には、野党・マスコミだけでなく、官邸主導を嫌う役所の影も垣間見えたが、ともかく一進一退の状況にあった。その中でコロナ危機に直面し、弱点が露呈してしまった。

ほかにも、いくつもの弱点が露呈した。財政緊縮への偏り。オンライン診療や遠隔教育の遅れ。マイナンバー制度も、もうちょっと早く制度活用を広げていたらよかった。各種給付金の支給などあっという間にできていたはずだ。

長年取り組んでいたのに、間に合わなかった……と思うことが少なくなかった。

二つ目に、その一方で、コロナ危機は未来への変革を加速していることだ。

リモートワークは一気に広がった。オンライン診療も遠隔教育も特例で解禁された。テレビ番組はリモート出演の活用などで大きく変わった。これは実は放送の大変革につながる可能性も秘める。また、コロナに対応した給付金の仕組みは、社会保障制度の抜本改革につながり得る。私の前著『岩盤規制』で、なかなか進まない規制改革の現状と課題を示したが、多くの課題がここで一気に進むかもしれない。

もちろん、未来に本当につながるかどうかはこれからだ。例えばオンライン診療も遠隔教育も、コロナ危機が終われば特例終了で、元に戻る可能性もある。未来につなげられるかどうかは、プレイヤーたちがどれだけ未来への展望をもって取り組めるかにかかっている。つまり、「コロナ禍なのでやむを得ないから」という対応ではなく、オンライン診療がいかに患者に有用か、遠隔教育が子どもたちの学びをいかに豊かにできるかを示せるかどうかだ。

対談の中ではお話ししそこなったが、これも長年の懸案である「東京一極集中」「地方創生」といった課題も、全く新たな解決の道筋が出てくると思う。リモートワークとオンライン会議で、仕事のやり方が大きく変わりつつあるからだ。

注意しないといけないのは、「リモートワークになれば、みんな地方に住むはず」といった安易な期待ではダメだ。これは過去にも似た話があった。日本中に空港と新幹線が整備され始めた当時、推進した政治家たちの言い分は、「移動時間が減って便利になれば、地方が活性化するはず」だった。しかし、現実に起きたことは逆だ。どこでも日帰り出張できるようになって、仕事の拠点は東京にますます集中し、地方の衰退はさらに深まった。

「移動時間がゼロになれば……」も、うっかりしていれば二の舞だ。しかし、そこに居住することの価値を未来志向で示せる地方には、これまでとは別次元の地方創生のチャンスがある。

急速な変革が進む中で、国も、地方も、企業も、個人も、その力量が問われる局面に入った。現状を正しく分析し、弱点を認識したうえで、未来への見取り図を描き、そこに向けて的確な手を打った者が大きな果実を得る。この本がそのためのヒントを提供できたら幸いだ。

最後に、この本を企画し、出版界ではまだ稀と思われる「オンライン対談の書籍化」を実現いただいた新潮社の安河内龍太氏に心から感謝申し上げたい。

2020年7月

原英史

高橋洋一　1955年生まれ。東京大学理学部数学科・経済学部経済学科卒。80年大蔵省入省。理財局資金企画室長などを歴任し退官。小泉内閣・第1次安倍内閣では官邸勤務で多くの改革を手掛ける。

原英史　1966年生まれ。東京大学卒・シカゴ大学大学院修了。経済産業省などを経て2009年「㈱政策工房」設立。政府や自治体の行政改革に関わる。著書に『岩盤規制 誰が成長を阻むのか』など。

Ⓢ新潮新書

872

国家の怠慢

著者　高橋洋一／原英史

2020年8月20日　発行
2020年10月10日　4刷

発行者　佐藤隆信
発行所　株式会社新潮社
〒162-8711　東京都新宿区矢来町71番地
編集部(03)3266-5430　読者係(03)3266-5111
https://www.shinchosha.co.jp

印刷所　株式会社光邦
製本所　加藤製本株式会社

ISBN978-4-10-610872-3 C0231

価格はカバーに表示してあります。

Ⓢ新潮新書

672
広島はすごい
安西巧

マツダもカープも、限られたリソースを「これ！」と見込んだ一点に注いで大復活！ 独自の戦略を貫くユニークな会社や人材が次々輩出する理由を、日経広島支局長が熱く説く。

837
ドル・人民元・リブラ
通貨でわかる世界経済
中條誠一

物の取引のツールだったお金（通貨）が、逆に経済全体を動かすようになってしまった現在。主役としての通貨を理解すれば、一見複雑怪奇な世界経済の構造が、スッキリわかる！

752
イスラム教の論理
飯山陽

コーランの教えに従えば、日本人は殺すべき敵であり、「イスラム国」は正しいイスラム教徒である――。気鋭のイスラム思想研究者が、西側の倫理とはかけ離れたその本質を描き出す。

721
フェイクニュースの見分け方
烏賀陽弘道

「オピニオンは捨てよ」「主語のない文章は疑え」「ステレオタイプの物語は要警戒」「妄想癖・虚言癖の特徴とは」――ポスト真実時代を生き抜くための正しい情報選別法を大公開！

846
「反権力」は正義ですか
ラジオニュースの現場から
飯田浩司

「権力と闘う」己の姿勢に酔いしれ、経済や安全保障を印象と感情で語る。その結論ありきの報道は見限られてきていないか。人気ラジオパーソナリティによる熱く刺激的なニュース論。